Lexique mathématique de base

Ronald Côté
Madeleine Gagnon
Nicole Perreault
Xavier Roegiers

Éditions Beauchemin ltée
3281, avenue Jean-Béraud
Chomedey, Laval (Québec) H7T 2L2
Tél.: (514) 334-5912
Téléc.: (450) 688-6269

LEXIMATH

Lexique mathématique de base

3281, avenue Jean-Béraud
Chomedey, Laval (Québec) H7T 2L2
Tél.: (514) 334-5912
Téléc.: (450) 688-6269
http://www.beauchemin.qc.ca

Lexique mathématique de base

203 av. Louise - 1050 Bruxelles

Supervision éditoriale : SEPP inc. (Louise Côté)
Supervision de la production : Lucie Plante-Audy
Révision : François Morin
Correction : Dolène Schmidt
Conception graphique et production : La pomme à écrire enr.
Illustrations : Francine Lessard
Impression : Imprimeur Gagné Ltée

ISBN : 2-7616-0446-6

Dépôt légal 4e trimestre 1991
Bibliothèque nationale du Québec
Bibliothèque nationale du Canada.

Imprimé au Canada

4 5 01

Guide d'utilisation

Leximath s'adresse principalement aux élèves et aux enseignants et enseignantes du primaire et du premier cycle du secondaire.

Conçu comme un dictionnaire, il reprend les principales notions au programme de ces ordres d'enseignement en leur associant l'essentiel des démarches qui permettent de les acquérir.

Se voulant avant tout pratique et accessible, il tente davantage d'expliquer et d'illustrer les notions mathématiques que d'en donner une définition théorique et complète.

Comment trouver un mot

1. Les notions sont présentées en ordre alphabétique. Un **index alphabétique**, situé à la fin du lexique, permet de repérer rapidement la ou les pages où le mot est défini. Dans cet index **la référence en gras** indique la page où le terme est défini. Les autres chiffres renvoient aux pages où on retrouve les principales applications de cette notion.

   EXEMPLE :

Quadrilatère 26, 98, 100, 121, 129, **142** , 146, 174

   ↓ **page où la notion est définie**

2. L'explication d'un terme se fait parfois en référence à un autre terme.

   EXEMPLE :

Orienté adj. → *droite* (p. 61).

   signifie que le mot «orienté» sera expliqué à la rubrique «droite».

3. Un terme en **gras** dans le texte à un endroit donné signifie que ce terme est principalement expliqué à cet endroit-là.

EXEMPLE :

> **Chiffre** n.m.
>
> Les **chiffres** sont les symboles utilisés pour écrire les nombres.

↓

Développement principal de la notion de «chiffre».

4. Un terme en *italique* dans le texte invite à rechercher ce terme dans le lexique pour un complément d'information.

EXEMPLE :

> Dans notre *système de numération*, il y a dix chiffres.

↓

Invite à un renvoi à l'expression «système de numération» pour un complément d'information.

5. Un mot suivi d'un astérisque (*) signale une notion ou un développement qui s'adresse plus particulièrement aux élèves du secondaire.

EXEMPLE :

> **Binôme** *

Abréviations → *symboles* (p. 164).

Abscisse * n. f. → *diagramme cartésien* (p. 49) et *coordonnées cartésiennes* (p. 38).

Absolu * adj. → *valeur absolue* (p. 178).

Absorbant * adj.

Zéro est **absorbant** dans une multiplication parce que, quand il est *facteur* d'un *produit*, ce produit vaut toujours zéro.

EXEMPLES :
0 x 7 = 0
25 x 4 x 0 = 0

Voir aussi *élément absorbant*.

Accolade * n. f.

Les **accolades** sont les symboles servant à grouper des objets, des *opérations*. C'est également un symbole qui signifie « ensemble ».
Le symbole des accolades est { }.

EXEMPLES :
{0, 2, 4, 6, 8}
{x∈ ℕ | x > 7}
{5 — (2 + 3) x 4}

Acutangle * adj.

Un triangle **acutangle** est un triangle qui a 3 angles aigus.

Voir aussi *triangle*.

Addition n. f.

L'**addition** est une des quatre *opérations* de base en arithmétique. Elle consiste à ajouter un nombre à un autre.

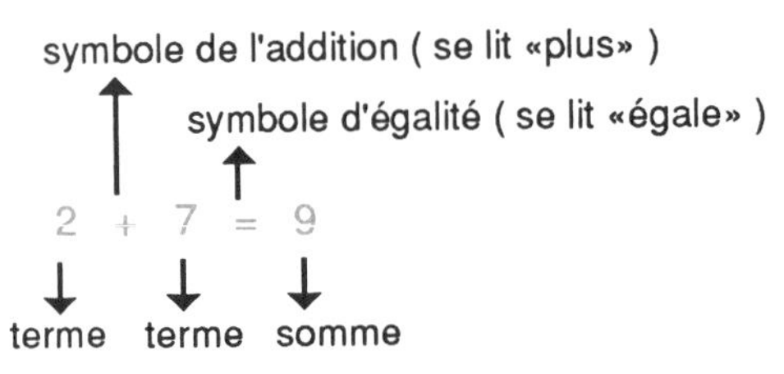

Voir aussi *table d'addition*.

Adjacent * adj.

Adjacent signifie « voisin », « qui se touche ». Deux **côtés adjacents** ont une extrémité commune. Deux **angles adjacents** ont en commun le sommet et un côté, et sont situés de part et d'autre de ce côté. Deux **faces adjacentes** d'un *polyèdre* ont une arête commune.

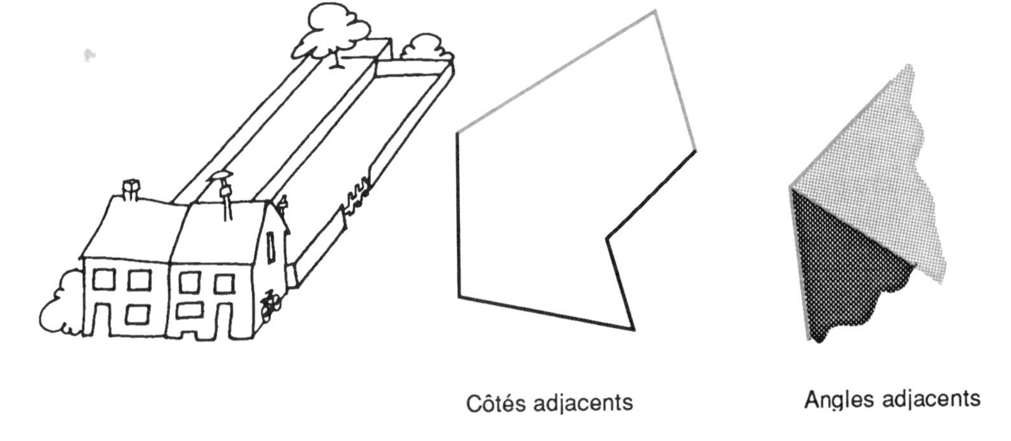

Côtés adjacents

Angles adjacents

Aigu adj. → *angle* (p. 11).

Aire n. f.

L'**aire** d'une *surface*, c'est la mesure de cette surface. Parfois, on parle aussi de **superficie** : la superficie d'un terrain, d'une ville, etc.

On peut :

1. Comparer l'aire de deux surfaces.

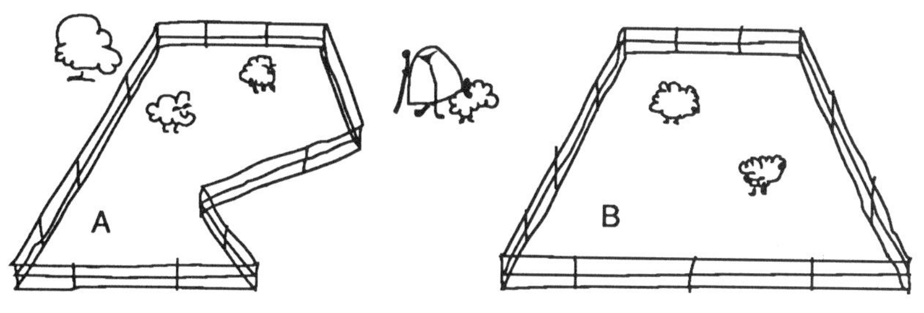

aire de **B** > aire de **A**

2. Mesurer l'aire d'une surface soit en la recouvrant à l'aide de feuilles, de fiches, etc., soit en utilisant un quadrillage.

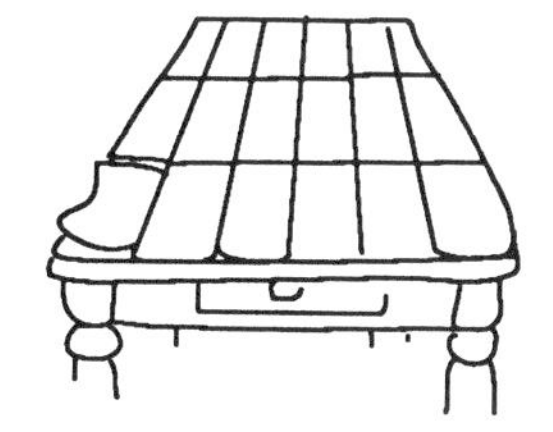

Il a fallu 18 feuilles pour recouvrir la table.

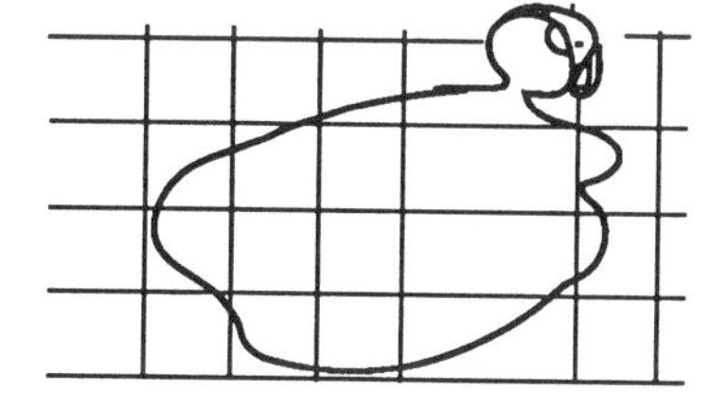

L'aire de la tache est comprise entre 8 et 15 carrés.

3. Mesurer l'aire d'une surface à l'aide d'unités conventionnelles.

Le **centimètre carré** (cm^2)

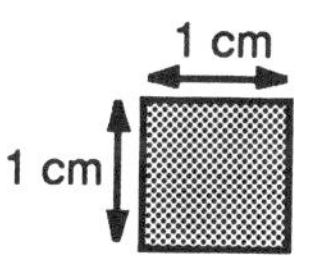

L'aire d'un carré de 1 cm de côté,
c'est environ l'aire de l'ongle de ton pouce.

Le **décimètre carré** (dm^2) : l'aire d'un carré de 1 dm (10 cm), ou encore environ l'aire d'un billet de 5 $.

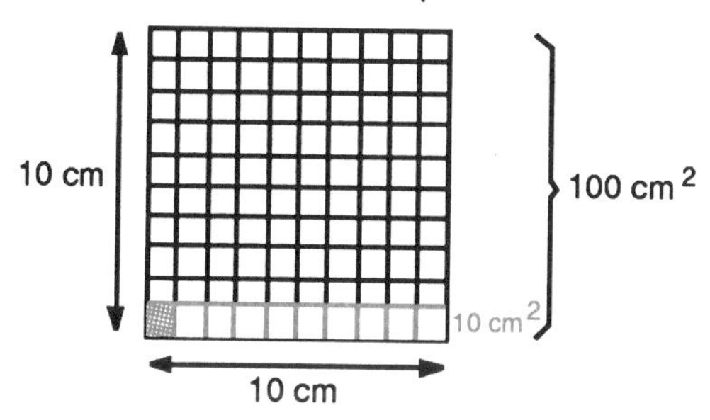

$1\ dm^2$ = 10 rangées de $10\ cm^2$ = $100\ cm^2$

Le **mètre carré** (m^2) : l'aire d'un carré de 1 m de côté, ou encore la moitié de l'aire d'une porte standard.
L'**hectare** (ha) : l'étendue d'un terrain carré de 100 m de côté.
1 ha = 100 a. L'aire d'un très grand terrain de football approche un hectare.
Le **kilomètre carré** (km^2) : l'étendue d'un terrain carré de 1 km de côté.

Chacune de ces unités d'aire est 100 fois plus grande que la précédente (dix fois en longueur et dix fois en largeur).

4. Calculer l'aire de *polygones* et de *solides* à l'aide des formules suivantes :

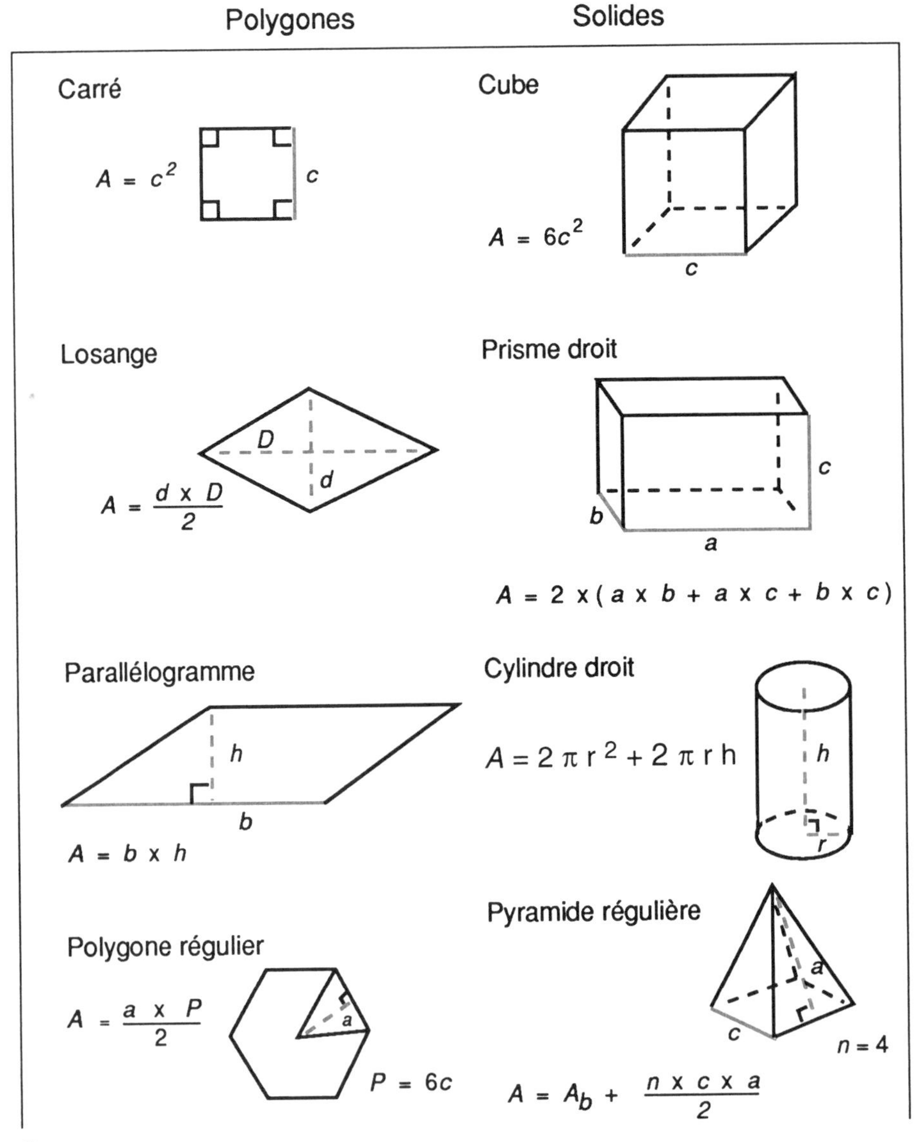

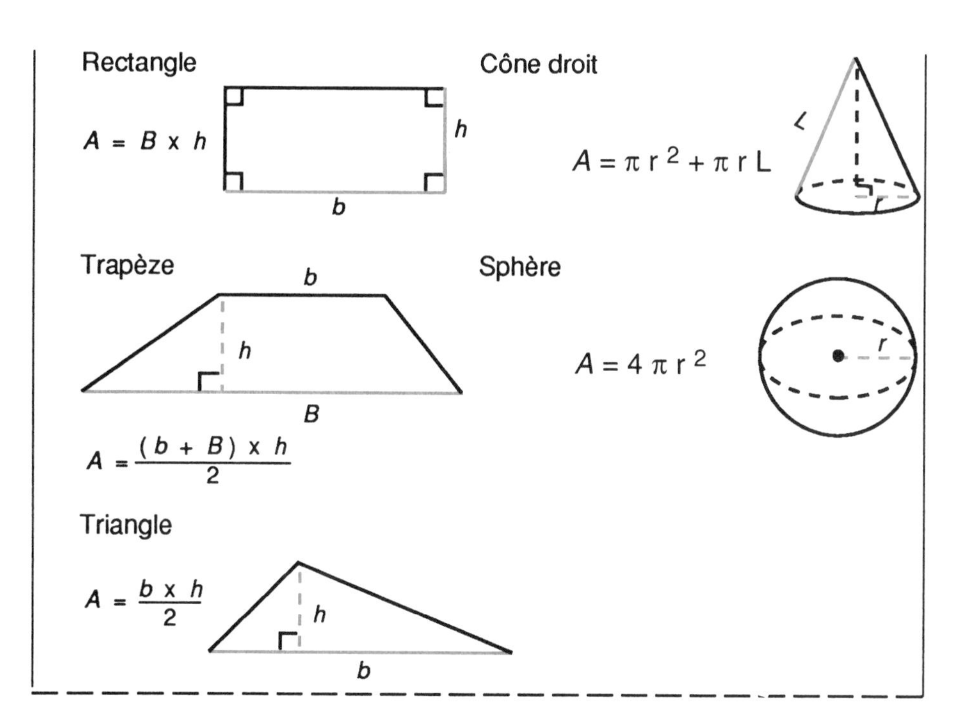

EXEMPLE :

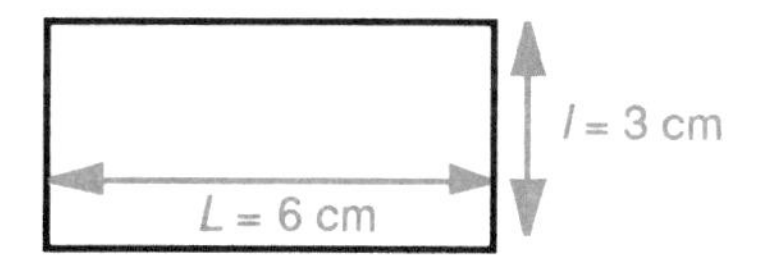

Aire du rectangle = L x l
Dans ce cas-ci, l'aire du rectangle est de $1\ cm^2 \times 6 \times 3 = 18\ cm^2$.

Attention! Il faut que toutes les mesures soient exprimées dans la même unité. Une façon de s'en assurer est d'écrire l'unité d'aire devant le calcul : **1 cm²** x 6 x 3, plutôt que 6 cm x 3 cm. De plus, cette formulation explique mieux le calcul : « Un centimètre carré entre 6 fois dans la longueur et 3 fois dans la largeur, soit 18 fois en tout. »

Aléatoire adj. → *probabilité* (p. 136).

Algorithme n. m.

Un **algorithme** est un ensemble de *règles* ou d'actions ordonnées qui sont nécessaires à la résolution d'un calcul, d'une *opération* ou d'un problème quelconque.

Angle n. m.

Un **angle** est la figure formée par deux *demi-droites* de même origine. Cette origine O est appelée *sommet* de l'angle.

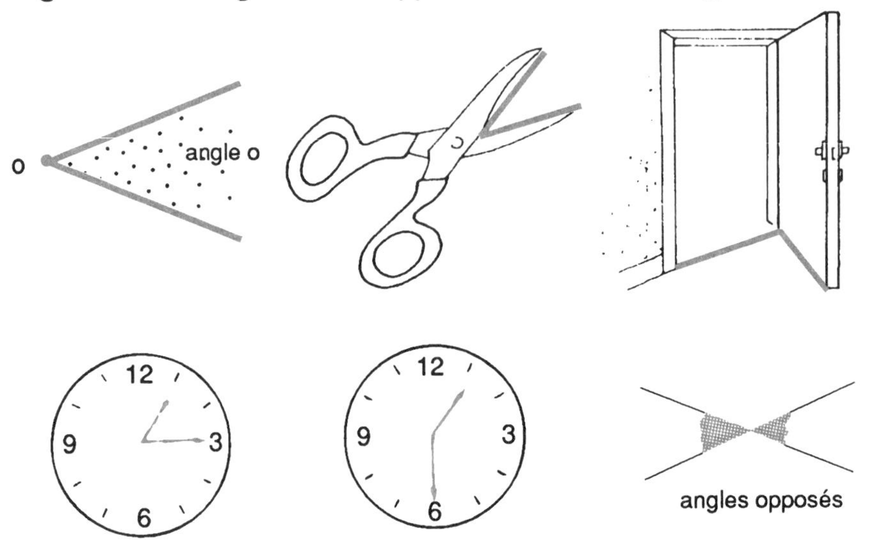

Un angle de sommet O se note ∠O.
On mesure un angle en *degrés*, à l'aide d'un rapporteur d'angle.

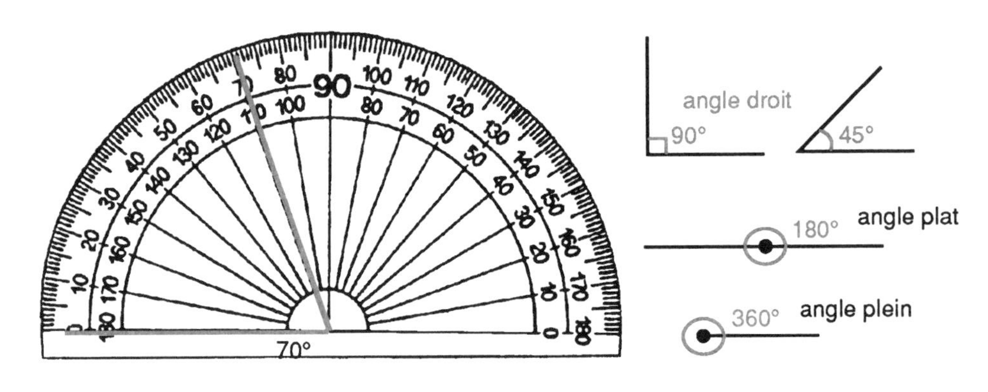

L'**angle droit** est un angle qui mesure 90°. Deux segments perpendiculaires issus du même sommet forment un angle droit.

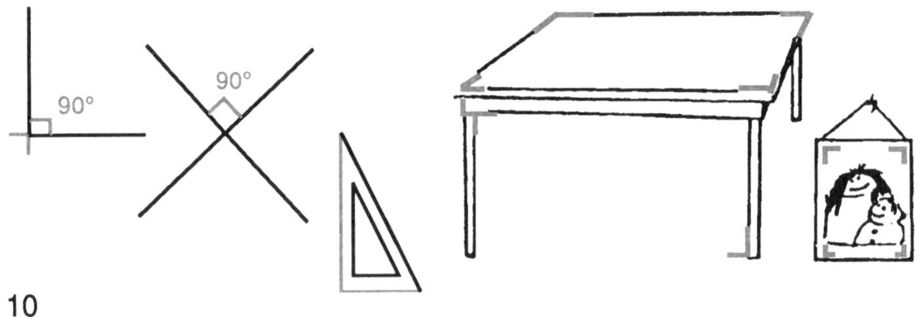

Un **angle plat** est un angle qui mesure 180°. Deux segments de droites placés bout à bout de façon à former une ligne droite forment un angle plat.

Un **angle aigu** est un angle moins ouvert qu'un angle droit. Sa mesure est plus petite que 90°.

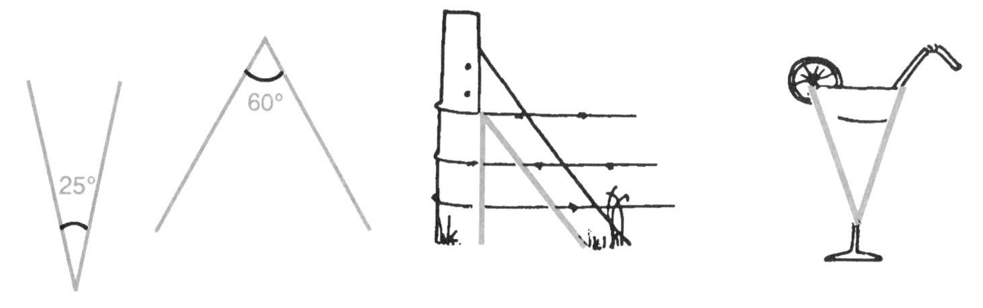

Un **angle obtus** est un angle plus ouvert qu'un angle droit mais moins ouvert qu'un angle plat. Sa mesure est plus grande que 90° et plus petite que 180°.

Un **angle plein** est un angle dont la mesure est égale à 360°.

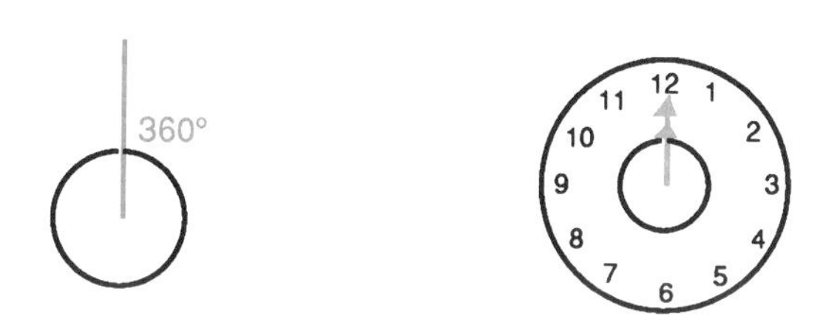

Un **angle rentrant** est un angle plus ouvert qu'un angle plat mais moins ouvert qu'un angle plein. La mesure d'un angle rentrant est plus grande que 180° mais plus petite que 360°.

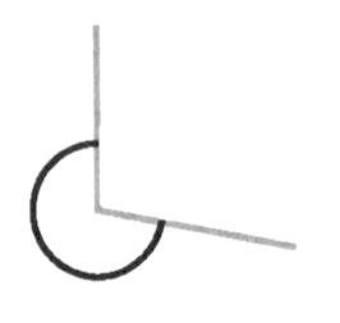

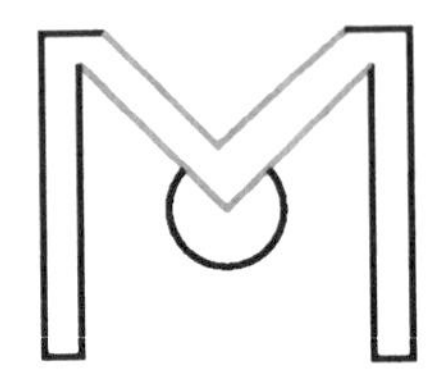

La somme des angles intérieurs d'un triangle est égale à 180°.

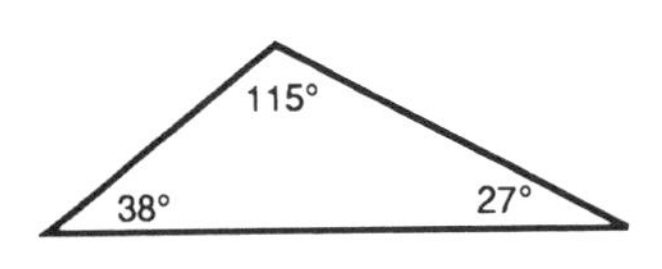

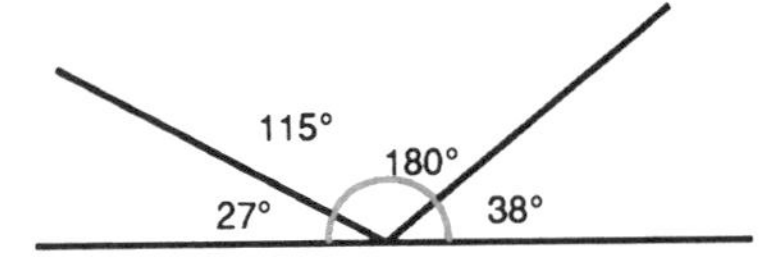

La somme des angles intérieurs d'un quadrilatère est égale à 360°.

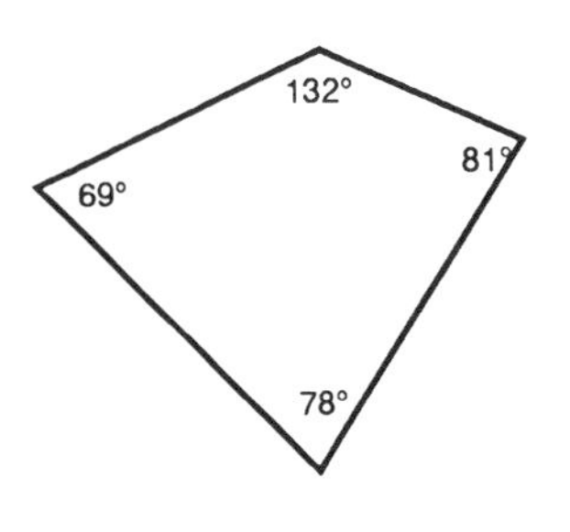

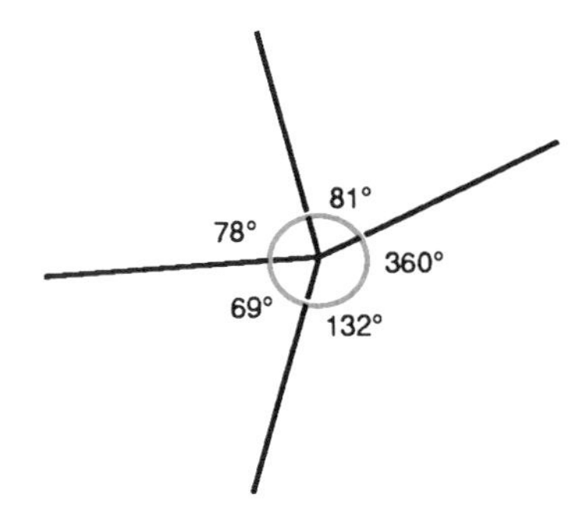

Voir aussi *adjacent*, *complémentaire*, *supplémentaire*, *perpendiculaire*, *degré*.

Apothème * n. m.

Dans un *polygone régulier*, l'**apothème** est la distance entre le centre et le milieu d'un côté.

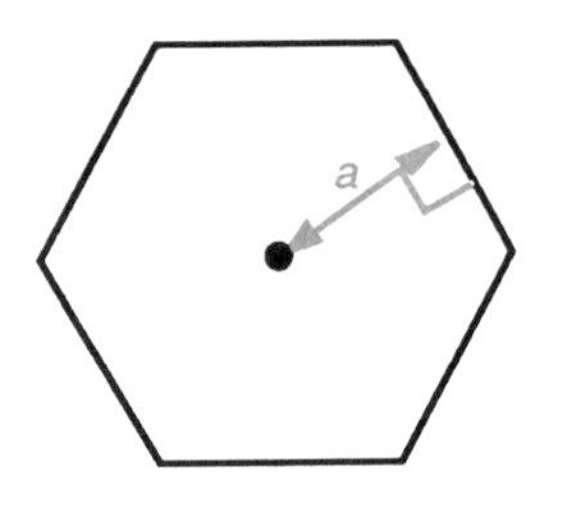

Appartenance n. f. → *ensemble* (p. 64).

Approximation n. f.

Une **approximation** est la valeur approchée du résultat d'une *opération*.
On utilise le symbole ≈ pour désigner une approximation.
Exemple : $\pi \approx 3,14$

Voir aussi *arrondissement*.

Arbre n. m.

Une représentation en **arbre** donne les chemins qui permettent de rechercher les différentes façons de combiner des propriétés ou des éléments.
EXEMPLE 1 :

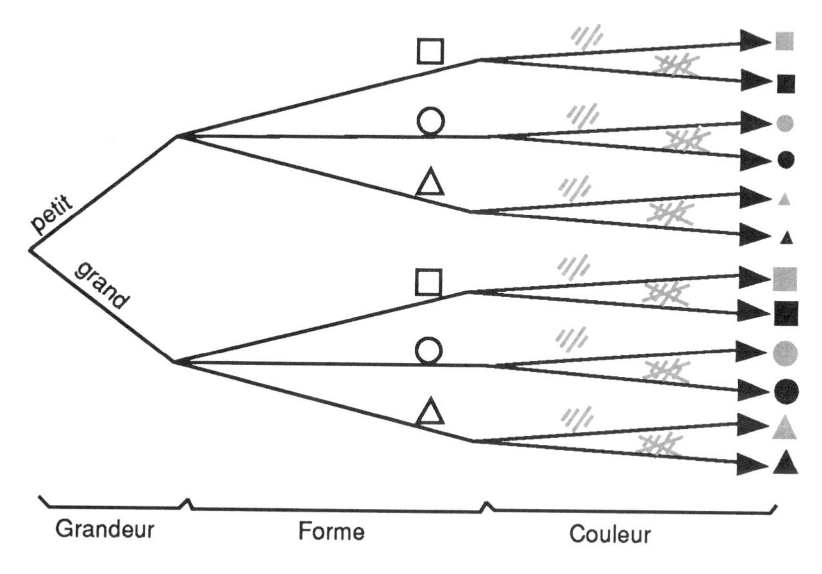

EXEMPLE 2 :
Recherche des *diviseurs* d'un nombre, par exemple de 12.
On décompose 12 en *facteurs premiers* : $12 = 2^2 \times 3$, et on combine ces facteurs de toutes les façons possibles :

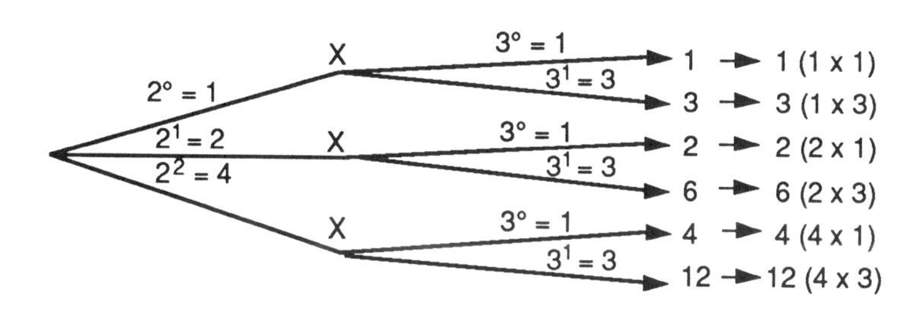

Un **arbre binaire**, ou **dichotomique**, est un arbre dans lequel tous les embranchements consistent en un choix OUI/NON.
EXEMPLE :

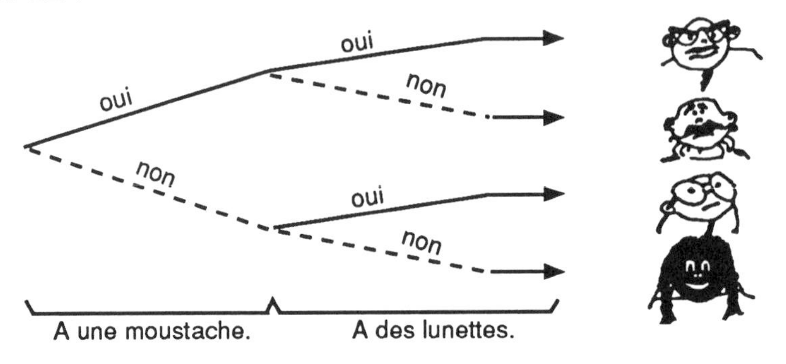

Arc n. m.

Partie d'un *cercle* comprise entre deux points de ce cercle.

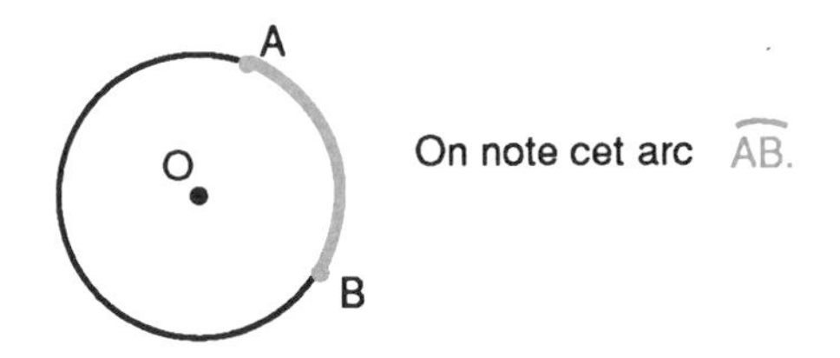

Arête n. f. → *polyèdre* (p. 128).

Arithmétique adj. → *moyenne* (p. 104) et *progression* (p. 137).

Arrondissement n. m.

L'**arrondissement** d'un nombre est le remplacement de ce nombre par une valeur approchée en suivant certaines règles.

Pour arrondir un nombre à une position donnée, il faut considérer le chiffre placé à la droite de la position à laquelle on veut arrondir. Si ce chiffre est inférieur à 5, la valeur de position à laquelle on veut arrondir ne change pas; si ce chiffre est supérieur ou égal à 5, cette valeur de position augmente de 1.

Dans un cas comme dans l'autre, on doit remplacer par des zéros tous les chiffres qui suivent la valeur de position arrondie.

EXEMPLE : 3 245 arrondi à la centaine près devient 3 200.

Voir aussi *approximation*.

Associativité n. f.

Une opération est **associative** si l'on peut regrouper de façons différentes les termes sans modifier le résultat de l'opération.

> L'addition et la multiplication sont associatives.
> Ainsi, on aura toujours :
> $200 + 50 + 9 = (200 + 50) + 9 = 250 + 9 = 259$
> $= 200 + (50 + 9) = 200 + 59 = 259$
> $8 \times 10 \times 2 = (8 \times 10) \times 2 = 80 \times 2 = 160$
> $= 8 \times (10 \times 2) = 8 \times 20 = 160$

> La soustraction et la division ne sont **pas** associatives.
> Par exemple, on a :
> $(20 - 15) - 3 = 5 - 3 = 2 \neq 20 - (15 - 3) = 20 - 12 = 8$
> $(80 \div 10) \div 2 = 8 \div 2 = 4 \neq 80 \div (10 \div 2) = 80 \div 5 = 16$

Asymptote * n. f.

Une **asymptote** est une *droite* dont une courbe se rapproche sans jamais atteindre aucun de ses points.

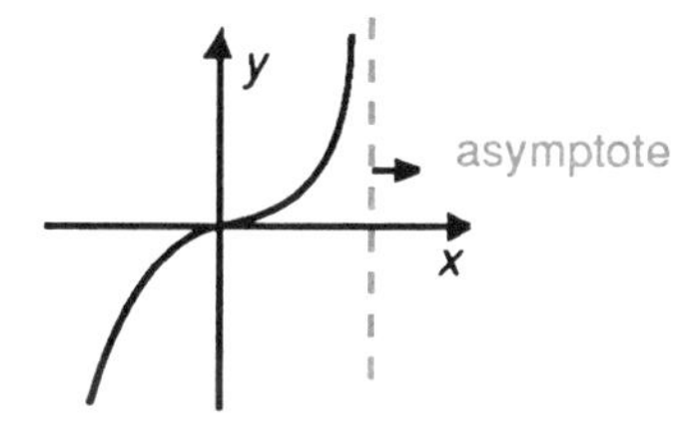

Axe de réflexion n. m.

Un **axe de réflexion** est une *droite* servant à définir une *réflexion.*

Voir aussi *symétrie.*

Axe des abscisses n. m. → *diagramme cartésien* (p. 49).

Axes des coordonnées n. m. → *diagramme cartésien* (p. 49).

Axe des nombres n. m.

Un **axe des nombres** est une *droite* divisée et orientée.

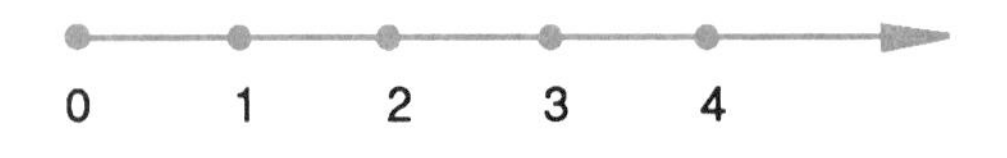

Axe des nombres naturels

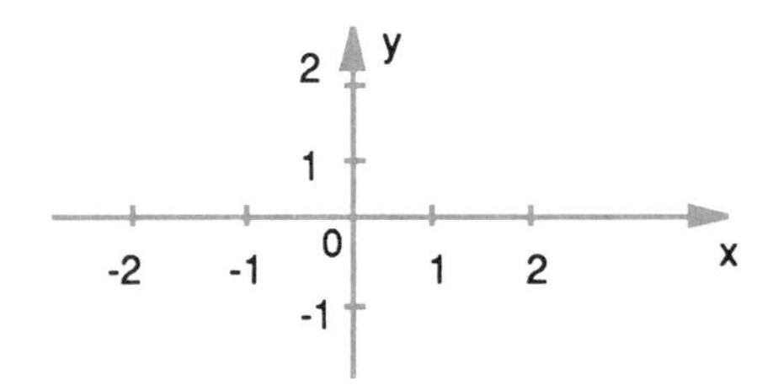

Axes d'un plan cartésien

Axe des ordonnées n. m. → *diagramme cartésien* (p. 49).

Axe de symétrie n. m. → *symétrie* (p. 166).

Axiome * n. m.

Un **axiome** est un énoncé que l'on suppose vrai au départ, et que l'on ne démontre donc pas.

EXEMPLE :
« Tout nombre naturel est suivi d'un autre. »

Base de numération n. f.

Notre *système de numération* est dit de **base** dix, ou décimal, parce que, pour écrire les nombres, on effectue des groupements par dix.

EXEMPLES :

10 signifie « 1 groupement de dix et 0 unité ».
35 signifie « 3 groupements de dix et 5 unités ».
127 signifie « 1 groupement de dix au carré, 2 groupements de dix et 7 unités » :

$127 = (1 \times 10^2) + (2 \times 10) + 7$

ou $127 = (1 \times 10^2) + (2 \times 10) + (7 \times 10^0)$

C'est probablement parce que l'être humain a dix doigts qu'il a imaginé la base dix.

On peut représenter les nombres dans une base autre que dix, par exemple la base trois.

En base trois, seuls trois chiffres sont utilisés : 0, 1 et 2 parce que, dès qu'on a trois unités, on forme un groupement.

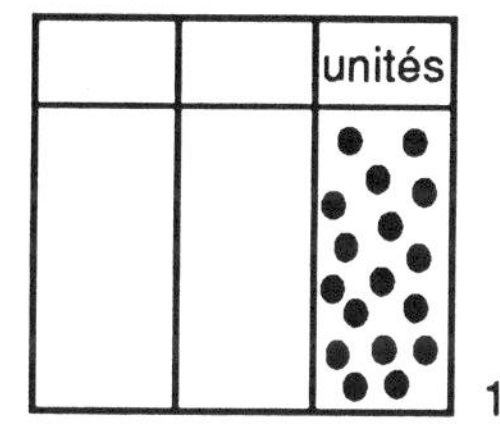

Comment écrire 17 (dix-sept) en base trois? En effectuant des groupements de trois autant de fois que cela est possible.

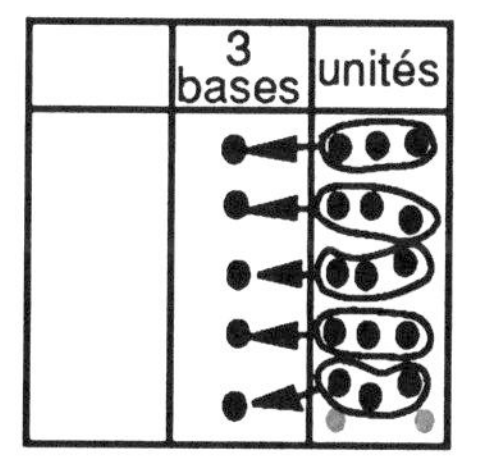

On commence par regrouper les unités trois par trois, ce qui donne 5 groupements de trois (5 bases). Il reste 2 unités.

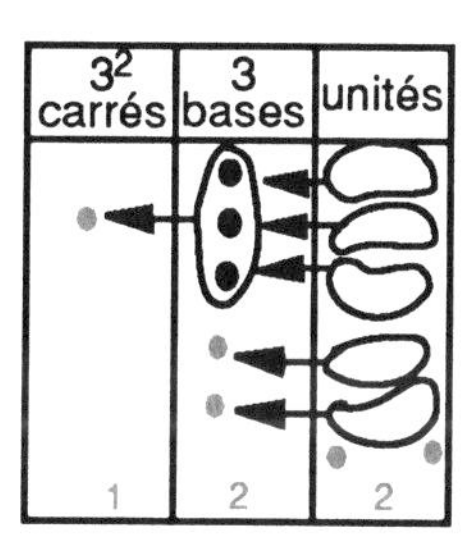

On regroupe trois des 5 bases en 1 base au carré. Il reste 2 bases.

On a finalement : 1 base au carré (1×3^2);
2 bases (2×3^1);
2 unités (2×3^0);

$17_{(dix)} = 122_{(trois)}$ (dix-sept en base dix est égal à « un deux deux » en base trois).

On peut vérifier la transformation :

$122_{(\text{trois})}$ = 1 carré + 2 bases + 2 unités
= (1 x 3^2) + (2 x 3) + 2
= 17

Pour écrire dans une autre base des nombres plus grands, il est plus rapide de procéder par calcul. On effectue des divisions successives par la base en comptabilisant les différents restes.

EXEMPLE :
Soit le nombre $61_{(\text{dix})}$ à écrire en base trois :

61 unités divisées par trois	→	20	bases	reste	1 unité
20 bases divisées par trois	→	6	carrés	reste	2 bases
6 carrés divisés par trois	→	2	cubes	reste	0 carré
2 cubes divisés par trois	→			reste	2 cubes

Il suffit alors de lire de bas en haut le nombre donné :
$61_{(\text{dix})}$ = $2021_{(\text{trois})}$

La base dix n'est pas la seule base utilisée aujourd'hui. Dans certains domaines, on se sert d'autres bases :

. en informatique, la base deux surtout (système *binaire*), mais aussi la base huit et la base seize;
. dans la mesure du temps, la base soixante, dont l'origine remonte aux Babyloniens : 1 h = 60 min; 1 min = 60 s;
. la base cinq est encore utilisée dans certains pays d'Asie.

Voir aussi *système de numération*.

Base (géométrique) n. f.

1. Dans les polygones

Chaque côté d'un *triangle* peut être la **base de ce triangle**. Le choix dépend du côté sur lequel on abaisse perpendiculairement la *hauteur*.

Ce côté, nommé base, et cette *hauteur* sont utilisés alors pour le calcul de l'aire du triangle.

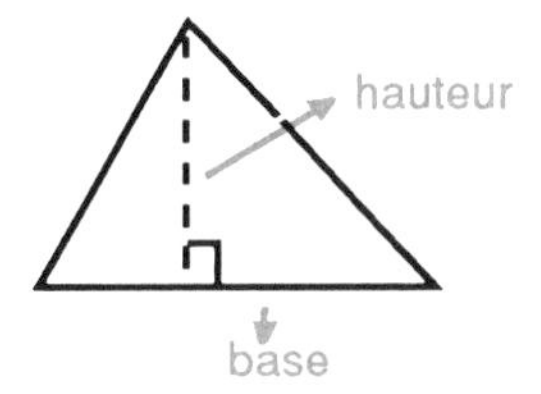

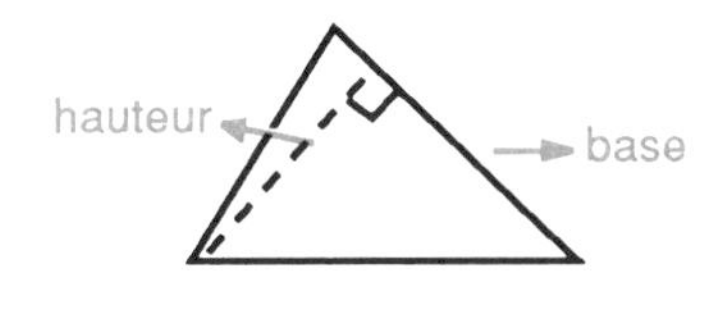

Comme pour le triangle, le côté du *parallélogramme* sur lequel on abaisse la hauteur sera la **base de ce parallélogramme**.

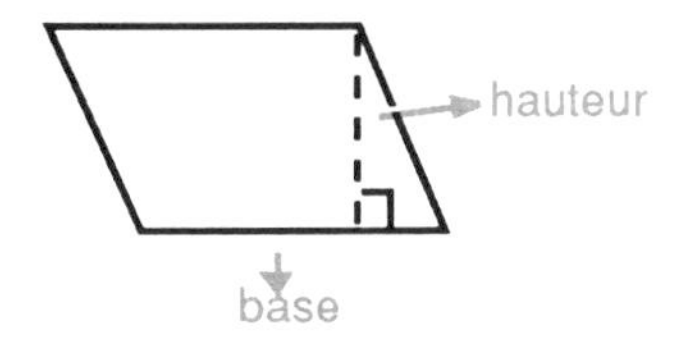

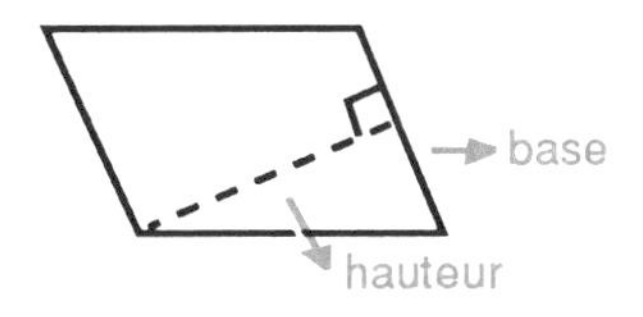

Dans le *rectangle*, tout côté peut être la **base du rectangle**. L'un des deux côtés perpendiculaires à cette base sera alors considéré comme la hauteur du rectangle.

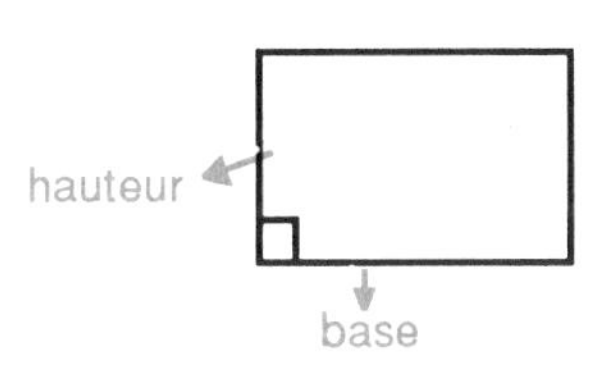

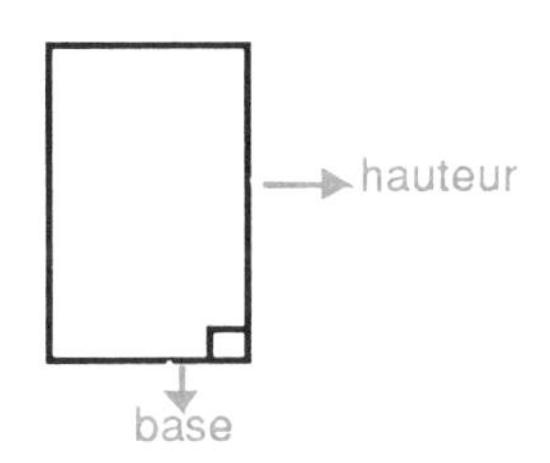

Pour le *trapèze*, les deux côtés parallèles sont les **bases du trapèze**. Le petit côté parallèle est la **petite base**, le plus long est la **grande base** du trapèze.

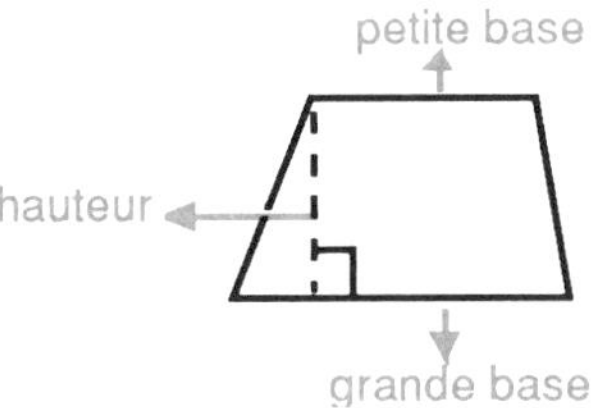

Par extension, l'expression « base d'un *polygone* » désigne souvent la longueur de ce côté.

2. Dans les solides

En général, la face sur laquelle repose le *solide* est appelée **base du solide.** Si la face opposée à celle-ci est *congruente*, elle peut également être considérée comme la base du solide.

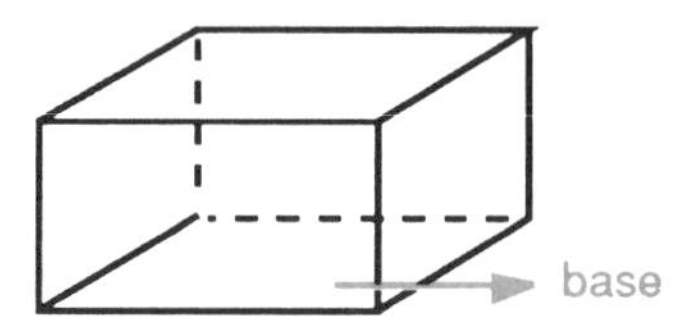

Parfois, lorsque la hauteur du solide est *perpendiculaire* à une autre face, cette face sera la base du solide.

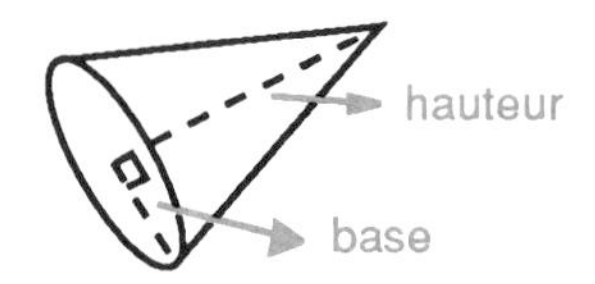

Dans les solides, on ne peut parler de base que pour les *prismes*, les *pyramides*, les *cylindres* et les *cônes*.

Base (puissance d'une) n. f.

La **base** est le nombre qui est accompagné d'un *exposant*. Dans l'expression $2^4 = 16$ (se lit « 2 exposant 4 égale 16 »), 2 est la base, 4 est l'exposant affecté à cette base et 16 est la 4e *puissance* de 2.

Bénéfice n. m.

Le **bénéfice** est la différence entre le prix de vente et le prix de revient d'une marchandise. La plupart du temps, on l'exprime comme un *pourcentage* du prix de revient.

EXEMPLES :

Prix de vente	1 200$
Prix de revient 1 000 $	Bénéfice 200 $

Bénéfice de 20 %

Prix de vente	800 $
Prix de revient 400 $	Bénéfice 400 $

Bénéfice de 100 %

N.B. Lorsque les frais sont insignifiants, on exprime le bénéfice comme un pourcentage du prix d'achat.

Le terme bénéfice est synonyme de **gain**.

Lorsque le prix de vente est inférieur au prix de revient, la différence est appelée **perte**.

Binaire * adj.

Le système **binaire** est un *système de numération* en base deux. Deux symboles sont utilisés : 1 et 0.

Base dix	Base deux
1	1
2	10
3	11
4	100
5	101
6	110
7	111
8	1000
...	...

$1_{(dix)} = 1_{(deux)}$ (se lit « un en base dix est égal à un en base deux »)

$2_{(dix)} = 10_{(deux)}$ → 1 groupement de deux et 0 unité

$3_{(dix)} = 11_{(deux)}$ → 1 groupement de deux et 1 unité

$4_{(dix)} = 100_{(deux)}$ → 1 groupement de deux au carré (1 carré de deux)

$5_{(dix)} = 101_{(deux)}$ → 1 carré de deux et 1 unité

$6_{(dix)} = 110_{(deux)}$ → 1 carré de deux et 1 groupement de deux

etc.

Voir aussi *base de numération* et *arbre*.

Binôme * n. m.

Un **binôme** est un *polynôme* constitué de deux *termes*.

Bissectrice * n. f.

Une **bissectrice** est une *droite* qui coupe un angle en deux angles *congrus*. C'est l'*axe de symétrie* de cet angle.

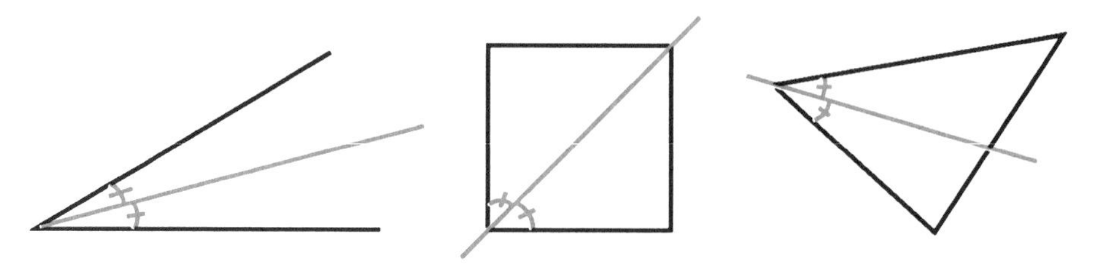

Bord n. m. → *frontière* (p. 81).

Boucle n. f.

1. Une **boucle** est une *branche* d'un *réseau* dont les deux extrémités sont reliées au même *noeud*. Cette branche peut se parcourir dans les deux sens.

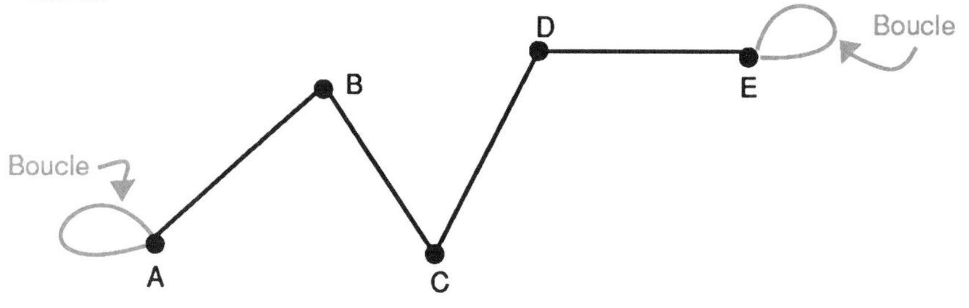

2. Une **boucle** représente aussi un couple identique dans un *diagramme sagittal*.

Branche n. f.

Dans un *réseau*, une **branche** est un segment reliant deux *noeuds*.

Brisé adj. → *ligne* (p. 95).

Calculer v.

Effectuer une opération arithmétique de façon à obtenir la réponse exacte.

Capacité n. f.

La **capacité** d'un récipient représente la quantité qu'il pourrait contenir, que ce soit de l'eau, de l'huile, du sel, du sable, etc.

EXEMPLE :
La capacité de ce seau est de 10 litres, ce qui signifie qu'on pourrait mettre jusqu'à 10 litres d'eau dans le seau.

On peut :

1. Comparer la capacité de deux récipients.

La capacité du verre est inférieure à la capacité du bol, parce qu'il peut contenir moins de liquide que le bol (bien qu'il soit plus haut).

2. Mesurer la capacité d'un récipient en le remplissant un certain nombre de fois avec un récipient donné (étalon).

La capacité de la cafetière est de 8 tasses.

3. Mesurer la capacité d'un récipient à l'aide d'unités conventionnelles.

Le litre (l ou L)

Un litre est équivalent à 1 dm^3.

Le décilitre
(dl ou dL) 1 dl = $\frac{1}{10}$ l; c'est la capacité d'une petite tasse.

Le centilitre
(cl ou cL) 1 cl = $\frac{1}{100}$ l; c'est la capacité d'une cuillère à soupe.

Le millilitre
(ml ou mL) 1 ml = $\frac{1}{1000}$ l; c'est la capacité de la moitié d'un dé à coudre.

L'hectolitre (hl ou hL) 1 hl = 100 l.

4. Utiliser des récipients gradués pour déterminer avec précision la capacité d'un récipient ou la valeur d'une quantité de liquide.

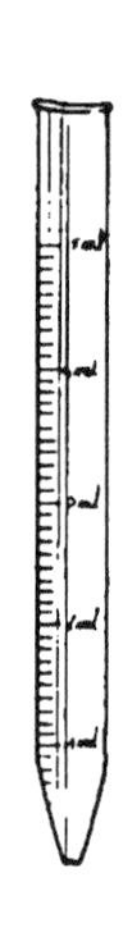

Capital n. m. → *intérêt* (p. 91).

Caractères de divisibilité

Dans certains cas, il est facile de voir si un nombre est *divisible* par un autre.
Par exemple, on peut dire rapidement que 19 736 est divisible par 4, car :

19 736 = 19 700 (multiple de 100, toujours divisible par 4) + 36 (nombre divisible par 4)

1. Un nombre est divisible par 2 si son dernier chiffre est pair.
   EXEMPLE :
   318 se divise par 2 car 8 est pair.

2. Un nombre est divisible par 3 si la somme de ses chiffres est divisible par 3.
   EXEMPLE :
   126 est divisible par 3, car 1 + 2 + 6 = 9 et 9 est divisible par 3.

3. Un nombre est divisible par 5 si le dernier chiffre de ce nombre est 0 ou 5.
   EXEMPLE :
   1 045 est divisible par 5 et 400 est divisible par 5.

4. Un nombre est divisible par 6 s'il est divisible par 2 et par 3.
   EXEMPLE :
   126 est divisible par 6, car 126 est divisible par 2 (dernier chiffre pair) et est divisible par 3 (car la somme de ses chiffres est 9).

5. Un nombre est divisible par 8 si le nombre formé par ses trois derniers chiffres est divisible par 8.
   EXEMPLE :
   5 328 est divisible par 8, car 328 est divisible par 8.

6. Un nombre est divisible par 9 si la somme de ses chiffres est divisible par 9.
   EXEMPLE :
   378 est divisible par 9, car 3 + 7 + 8 = 18 et18 est divisible par 9.

7. Un nombre est divisible par 10 si son dernier chiffre est 0.
   EXEMPLE :
   250, 50, 100, 340 sont des nombres divisibles par 10.

8. Un nombre est divisible par 11 si la différence entre la somme des chiffres en position impaire et la somme des chiffres en position paire est divisible par 11.

EXEMPLE :

28 — 6 = 22
22 est un multiple de 11, dès lors 5 362 918 est divisible par 11.

Cardinal n. m.

Le **cardinal** d'un *ensemble* est le nombre d'éléments de l'ensemble.

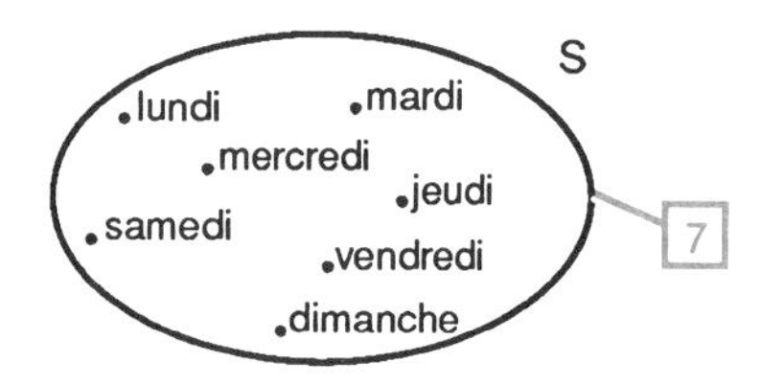

Le cardinal de l'ensemble S des jours de la semaine est 7.
On écrit # S = 7 (le cardinal de S est 7).

Deux ensembles sont **équipotents** s'ils ont même le nombre d'éléments. Par exemple, l'ensemble S des jours de la semaine et l'ensemble N des Sept Nains sont des ensembles équipotents.

L'ensemble dont le cardinal est 0 est l'ensemble **vide.**

Un ensemble dont le cardinal est 1 est un **singleton.**

Un ensemble dont le cardinal est 2 est une **paire.**

Voir aussi *infini* et *ordinal.*

Carré n. m.

1. **Carré d'un nombre** → *puissance* (p. 140).

2. Un **carré** est un *quadrilatère* dont les côtés sont congrus et les angles droits.

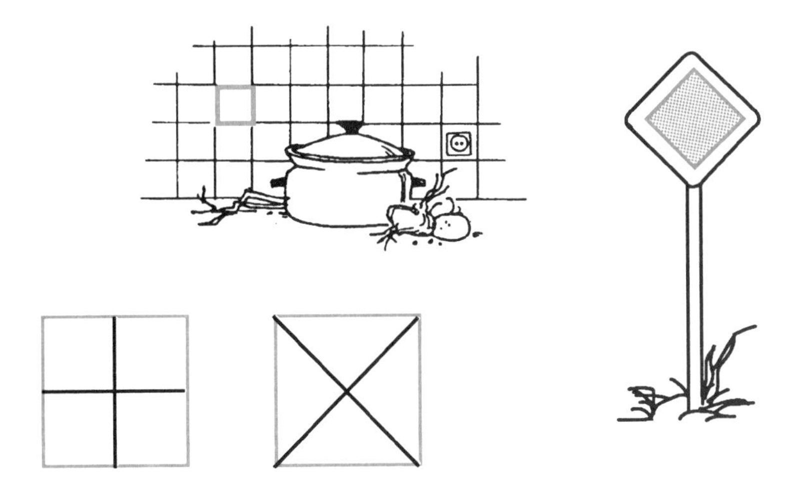

Un carré est un *polygone régulier*, car il a les côtés de même longueur et les angles de même mesure.

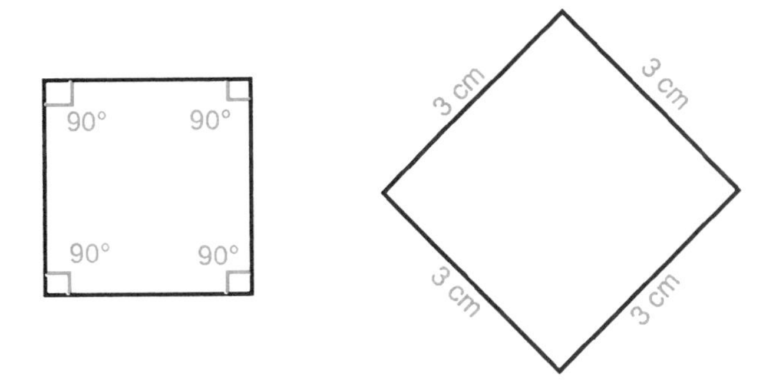

Un carré est à la fois un *rectangle* et un *losange*. Il possède donc toutes les propriétés de ces figures.

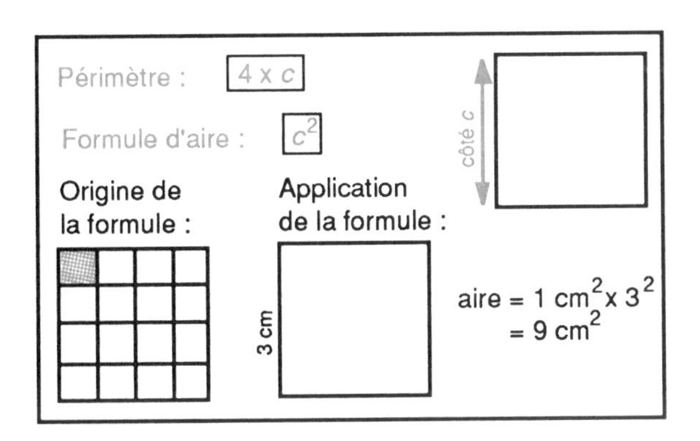

Carré magique n. m.

Ensemble de nombres disposés en carré de sorte que la somme des nombres de chaque ligne, de chaque colonne et de chaque diagonale soit toujours la même. Cette somme est la somme magique, ou **densité** du **carré magique**.

Dans l'exemple qui suit, la somme magique est 30.

16	2	12
6	10	14
8	18	4

Carré parfait n. m.

Un **carré parfait** est un *nombre naturel* qui est le *carré* d'un *nombre entier*.

Les nombres 0, 1, 4, 9, 16, ..., sont des carrés parfaits.

Carroll → *diagramme de Carroll* (p. 50).

Cartésien adj. → *diagramme cartésien* (p. 49).

Celsius → *degré* (p. 44).

Cent adj. numér. → *règles d'orthographe* (p. 149).

Centaine n. f.

Une **centaine** est un groupement de cent objets. Dans le *système de numération* décimale, c'est la troisième position à gauche de la *virgule de cadrage*.

Centième n. m.

0,01 = $\frac{1}{100}$ → *nombre décimal* (p. 108).

Centilitre n. m.

1 cl = $\frac{1}{100}$ l → *capacité* (p. 23).

Centimètre n. m.

1 cm = $\frac{1}{100}$ m → *longueur* (p. 96).

Centimètre carré n. m.

1 cm^2 : aire d'un carré de 1 cm de côté. → *aire* (p. 6).

Centimètre cube n. m.

1 cm^3 : volume d'un cube de 1 cm d'arête. → *volume* (p. 180).

Centre n. m. → *disque* (p. 53), *rotation* (p. 155), *symétrie* (p. 166), *homothétie* (p. 85), *cercle* (p. 30).

Centre de gravité * n. m.

1. Le **centre de gravité** d'une figure est un point tel que tous les autres points de cette figure sont deux à deux symétriques par rapport à lui.
2. En physique, le **centre de gravité** est le point d'application de la résultante des actions de la pesanteur sur toutes les parties d'un corps.

Centre de symétrie n. m. → *symétrie* (p. 166).

Cercle n. m.

Un **cercle** est une courbe plane ayant tous ses points situés à égale distance d'un point central nommé **centre** du cercle.

Pour calculer la *circonférence* d'un cercle, on utilise la formule suivante :
$C = 2 \pi r$ ou $C = \pi d$ (où r est le *rayon* du cercle et d son *diamètre*).

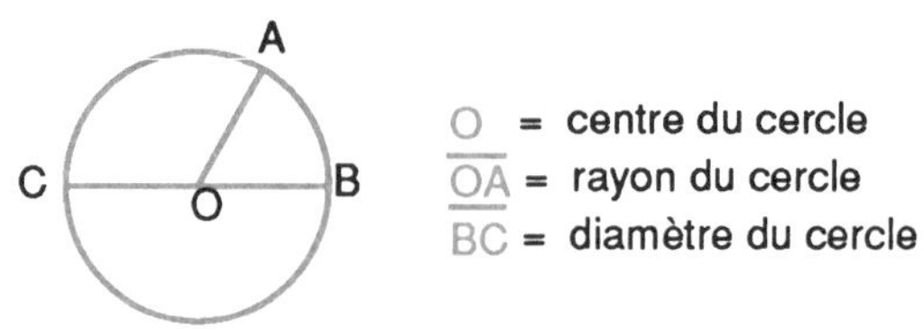

Voir aussi *Pi* (π).

Chaîne n. f.

Dans un *réseau*, une **chaîne** est une séquence de *branches* telle que chacune de ces branches possède une extrémité en commun avec la branche qui la précède et une extrémité en commun avec la branche qui la suit.

Une **chaîne** est dite **élémentaire** si elle n'inclut pas deux fois le même noeud.

Une **chaîne** est dite **simple** si elle n'utilise pas deux fois la même branche et **non simple** si au moins une de ses branches est utilisée à au moins deux reprises.

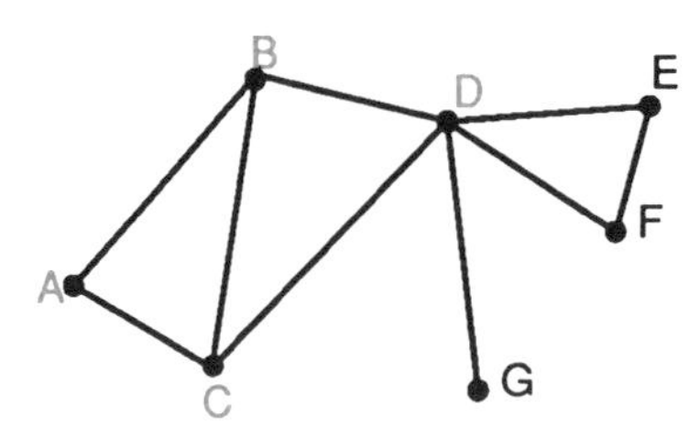

La séquence ABCD est une chaîne de longueur 3.
La séquence ABCDEFDG n'est pas une chaîne élémentaire.
La séquence ACDEFDG est une chaîne simple de longueur 6.
La séquence ABCDFEDBC est une chaîne non simple de longueur 8.

Chemin n. m.

Dans un *réseau*, un **chemin** est une *chaîne* de *droites orientées*. La longueur d'un chemin est le nombre de branches qui le constituent.

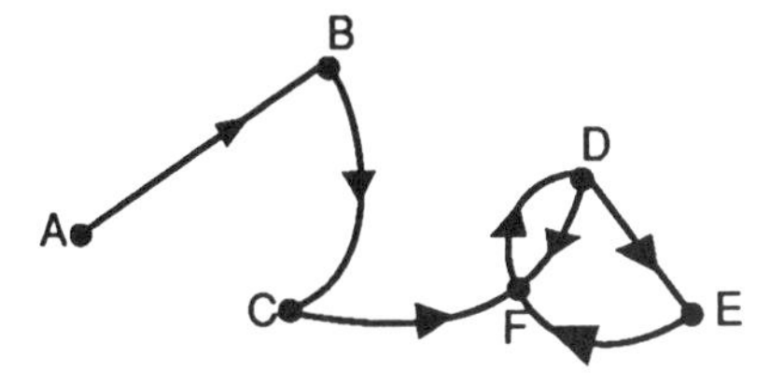

La séquence ABC est un chemin de longueur 2.
La séquence FDEF est un chemin de longueur 3. On nomme cette séquence un **circuit** parce qu'elle débute et finit au même noeud.

Chiffre n. m.

Les **chiffres** sont les symboles utilisés pour écrire les nombres. Dans notre *système de numération* en base dix, il y en a dix :
0, 1, 2, 3, 4, 5, 6, 7, 8, 9.

Circonférence n. f.

Mesure de la ligne qui forme le *cercle*. C'est le *périmètre* du cercle.

Circonscrit adj.

Un *cercle* est **circonscrit** à un *polygone* s'il passe par tous les sommets de ce polygone.

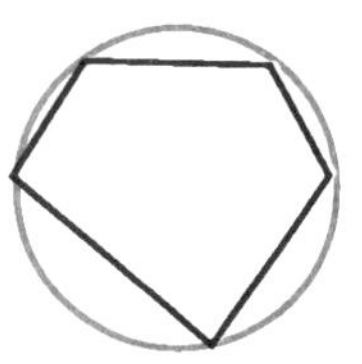

Circuit n. m. → *chemin* (p. 31).

Classement n. m.

Action qui consiste à répartir un ensemble d'objets ou de nombres à l'intérieur de classes identifiées préalablement.

EXEMPLES :
Classe les nombres suivants en nombres pairs ou impairs.
6, 7, 9, 10, 16, 24, 25, 32, 35.

Nombres pairs : 6, 10, 16, 24, 32.

Nombres impairs : 7, 9, 25, 35.

Coefficient * n. m.

Dans une expression mathématique, les **coefficients** sont les nombres qui multiplient les *variables*.

EXEMPLES :

Dans l'expression $4x + 7y$, 4 est le coefficient de x et 7 est le coefficient de y.

Dans l'expression $2ab^2$, 2 est le coefficient de ab^2.

Colinéaire adj.

Si deux ou plusieurs points du *plan* ou de l'espace appartiennent à une même droite, ils sont dits **colinéaires**.

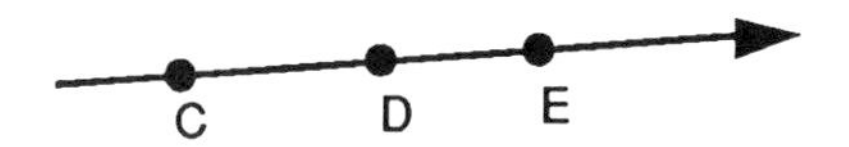

Les points C, D et E sont colinéaires.

Commutativité n. f.

Une opération est dite **commutative** si l'on peut changer l'ordre des termes sans modifier le résultat.

L'addition et la multiplication sont commutatives.	La soustraction et la division ne sont **pas** commutatives.
Ainsi, on aura toujours : $14 + 7 = 7 + 14$ $6 \times 9 = 9 \times 6$	Par exemple, on a : $5 - 3 \neq 3 - 5$ $12 \div 2 \neq 2 \div 12$

Compas n. m.

Un **compas** est un instrument servant à tracer des *cercles* ou à transporter des longueurs.

Complémentaire adj.

1. Deux *angles* sont **complémentaires** si la somme de leurs mesures égale 90° (un angle droit).

   EXEMPLE :

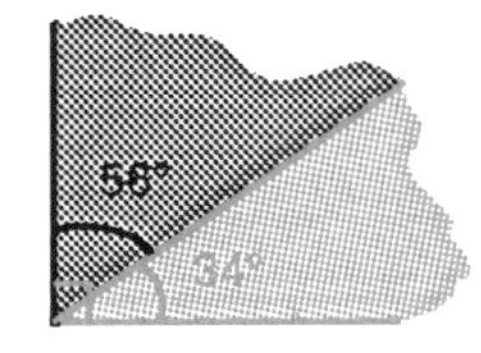

$34° + 56° = 90°$

2. L'*ensemble* **complémentaire** d'un ensemble A dans un ensemble E, c'est l'ensemble des éléments qui appartiennent à E sans appartenir à A.

   EXEMPLE :
   L'ensemble des nombres impairs est le complémentaire de l'ensemble des nombres pairs dans l'ensemble des nombres entiers : tout nombre entier qui n'est pas pair est impair.

Compréhension n. f. → *ensemble* (p. 64).

Concave adj.

Non convexe. → *convexe* (p. 36).

Concentrique adj.

Lorsque plusieurs *cercles* ont le même centre, ils sont dits **concentriques**. De même, si plusieurs *sphères* ont le même centre, elles sont dites **concentriques**.

Concourant adj.

Si deux ou plusieurs *droites* se coupent en un seul point, elles sont dites **concourantes**.

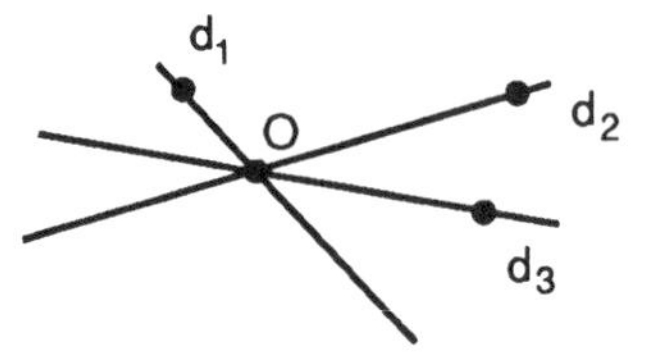

Cône n. m.

Lorsqu'on fait tourner de 360° un *triangle rectangle* autour d'un des côtés de l'angle droit, on délimite un solide. Ce solide est un **cône** droit.

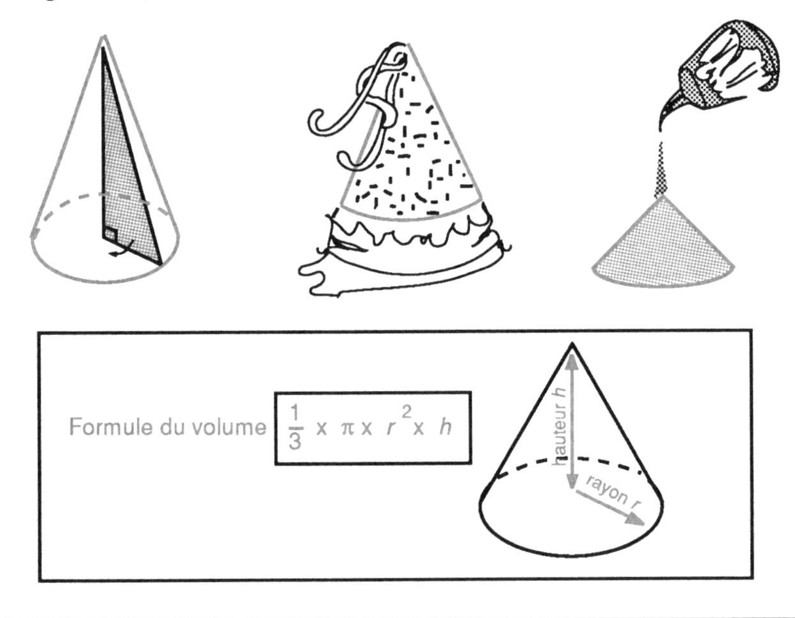

Confondu * adj. → *parallèle* (p. 121).

Congru adj.

Deux *angles* ou deux *segments de droite* sont dits **congrus** si on peut les superposer exactement l'un sur l'autre. Dans le cas des angles, la longueur des côtés n'a pas d'importance.

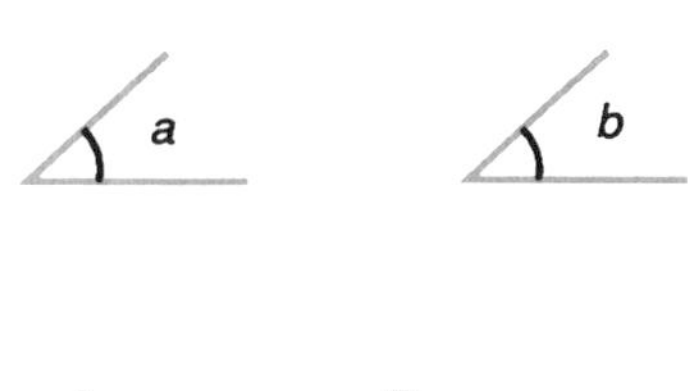

$\angle a \cong \angle b$ (se lit « l'angle a est congru à l'angle *b* »)
si et seulement si m $\angle a$ = m $\angle b$.
$\overline{AB} \cong \overline{CD}$ si et
seulement si m$\overline{AB}$ = m$\overline{CD}$

Congruent adj.

Deux figures sont **congruentes** si tous leurs côtés et tous leurs angles sont *congrus*. En déplaçant deux figures congruentes, on peut les superposer.

Connexe adj.

Un *réseau* **connexe** est un réseau tel que pour toute paire de *noeuds* distincts, il existe une *chaîne* de branches reliant ces noeuds.

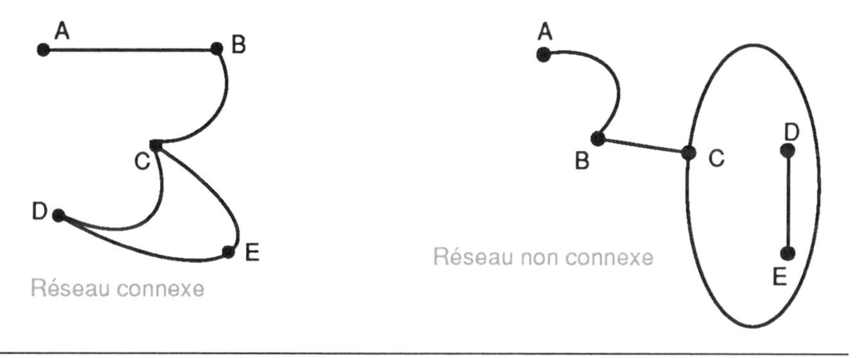

Consécutif adj.

Le mot **consécutif** signifie « qui se suit ».

EXEMPLE :
Les nombres 4, 5, 6, 7, 8 sont des nombres naturels consécutifs.

Constante n. f.

Une **constante**, ou invariant, est une grandeur qui ne varie pas.

EXEMPLES :

1.

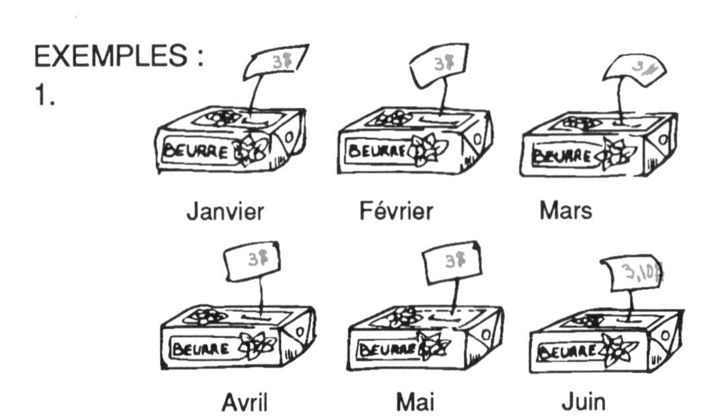

Le prix du beurre a été constant pendant les cinq premiers mois de l'année.

2. Le rapport *pi* est une constante : quelle que soit la grandeur du disque, le rapport entre la longueur du cercle et le diamètre est toujours le même : $\pi = 3,14159...$
Par contre, la longueur du cercle est *variable* : elle dépend de la grandeur du disque, c'est-à-dire du diamètre.

3. Dans l'équation $y = 5x + 2$, 2 et 5 sont des constantes, tandis que x et y sont des variables parce qu'elles peuvent prendre différentes valeurs.
Quand une variable est égale à une autre multipliée par un nombre constant, ce nombre s'appelle **constante de proportionnalité**.

EXEMPLES :
$a = 4b$
$C = 2\pi r$
$y = kx$

Voir aussi *proportionnel*.

Contour n. m. → *frontière* (p. 81).

Convexe adj.

Une figure **convexe** est une figure qui n'a pas de partie « rentrante », ni de trou.

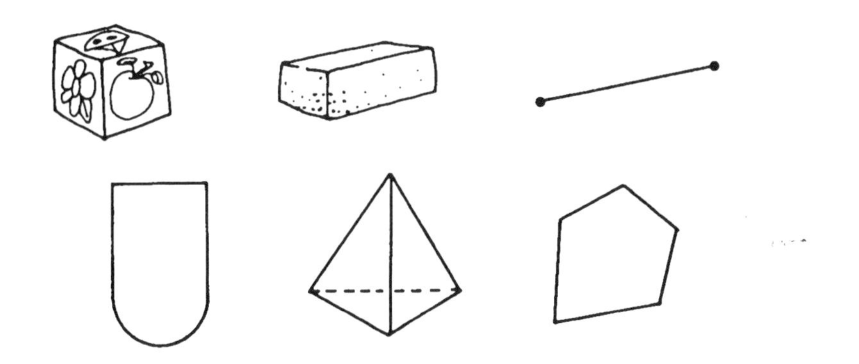

Le contraire de convexe est non convexe, ou **concave**. Dans une figure non convexe, au moins un segment reliant deux points de la figure sort de celle-ci :

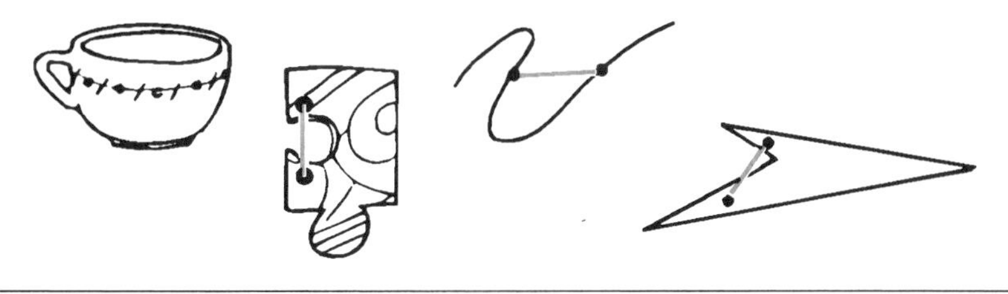

Coordonnées n. f. pl.

Les **coordonnées** d'un point sont les éléments qui servent à déterminer la position de ce point sur une ligne, un plan ou dans l'espace.

Dans un plan, la position d'un point est entièrement déterminée par un couple de coordonnées.

La première coordonnée d'un couple est, en général, la coordonnée horizontale.

EXEMPLE :

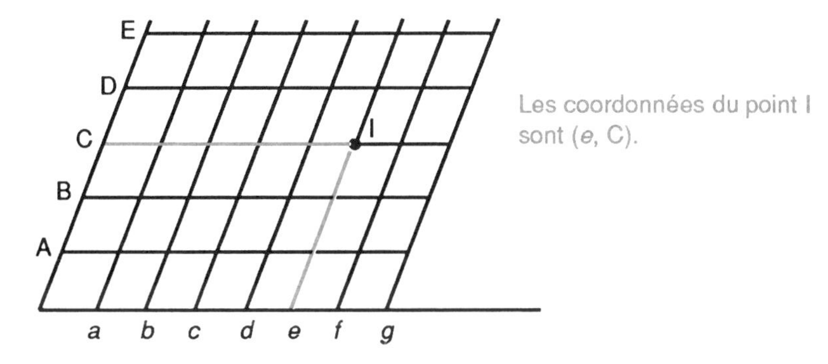

Les coordonnées du point I sont (*e*, C).

Coordonnées cartésiennes n. f.

Les **coordonnées cartésiennes** d'un point sur un *diagramme cartésien* sont deux nombres, l'**abscisse** et l'**ordonnée**.

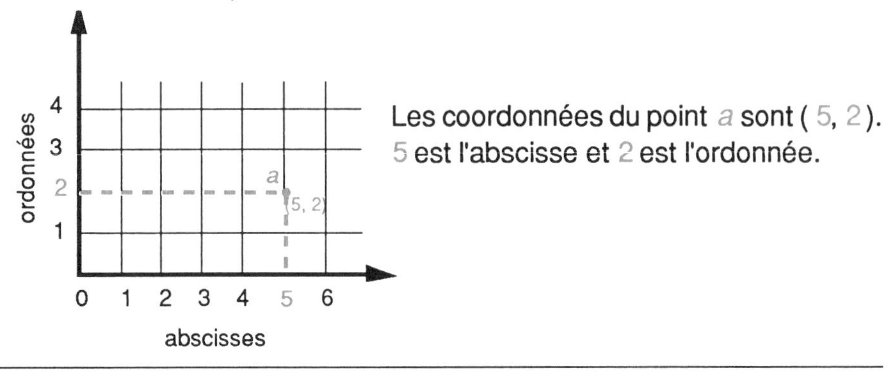

Les coordonnées du point *a* sont (5, 2).
5 est l'abscisse et 2 est l'ordonnée.

Coordonnées polaires * n. pl.

Dans un système de **coordonnées polaires** du plan, les coordonnées d'un objet sont la **distance** de l'origine à l'objet et l'**azimuth**, soit l'angle que forme la droite avec l'axe nord-sud.

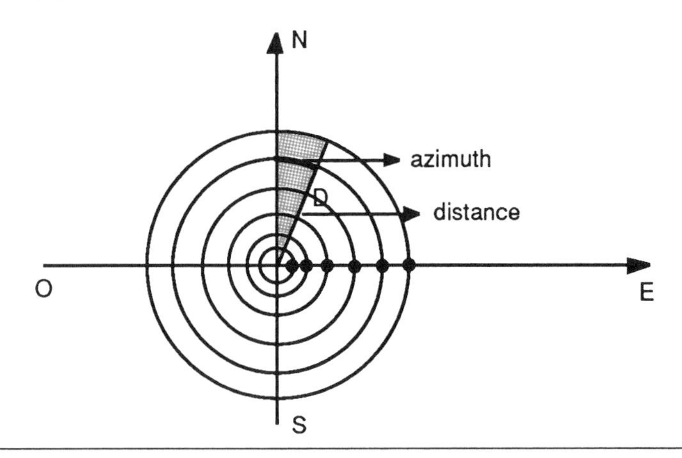

Corde n. f.

Une **corde** est un *segment de droite* joignant deux points d'un *cercle*.

Le *diamètre* est une corde particulière qui passe par le centre du cercle.

Corps rond * n. m.

Un **corps rond** est un *solide* comportant au moins une surface courbe.

EXEMPLES :
- bûche de Noël (forme cylindrique);
- chapeau d'anniversaire (forme de cône);
- globe terrestre.

Correspondant adj. → *homologue* (p. 85).

Côté n. m.

1. Les **côtés** d'un *angle* sont chacune des demi-droites de même origine qui forment l'angle.

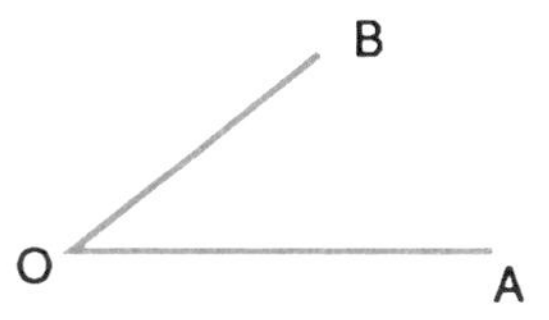

OA et OB sont les côtés de ∠AOB.

2. Les **côtés** d'un *polygone* sont chacun des segments de droite qui délimitent le polygone.

$\overline{AB}$, $\overline{BC}$, $\overline{CD}$, et $\overline{AD}$ sont les côtés de ce polygone.

Couple * n. m.

Un **couple** est une suite ordonnée de deux termes.

EXEMPLES :
- le résultat d'un match de hockey (3, 0);
- le repérage d'une case au combat naval (b, 6);
- les *coordonnées* d'un point (4, 2), 4 étant l'abscisse et 2 l'ordonnée.

Ne pas confondre une *paire*, ensemble de deux éléments, et un **couple**, dans laquelle les termes figurent dans un ordre bien précis.

Courbe n. f.

Une **courbe** est un ensemble continu de *points* qu'on peut dessiner sans lever le crayon.

Couronne * n. f.

Une **couronne** est une région du plan située entre deux cercles *concentriques*. L'aire d'une couronne peut se calculer au moyen de la formule : $A = \pi\ (R^2 - r^2)$, où R et r sont respectivement le rayon du plus grand cercle et celui du plus petit cercle.

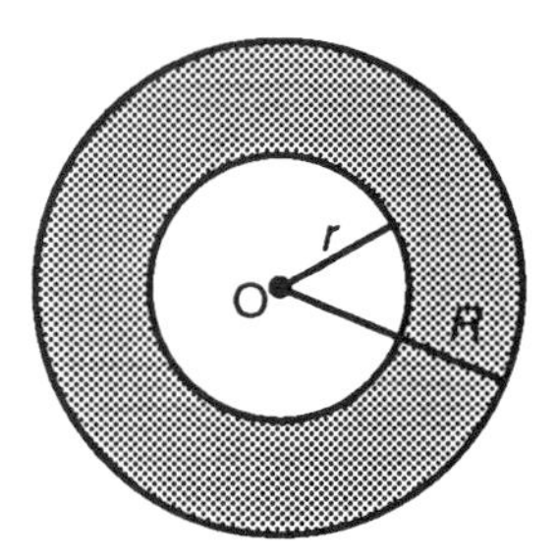

Crochet * n. m.

1. Les **crochets** sont des symboles servant à grouper des opérations. Leur notation est [ ].

   $\{5 + 3\ [\ 3(2 + 5) - 4\ (8 - 2)]\} =$
   $\{5 + 3\ [3 \times 7 - 4 \times 6]\} =$
   $\{5 + 3\ [21 - 24]\} =$
   $\{5 + 3 \times -3\} = -4$

2. Les **crochets** sont aussi utilisés pour noter des *intervalles* fermés ([ ]), ouverts ( ] [ ) ou semi-ouverts ( ]] ou [[ ).

Croissant adj. → *ordre* (p. 118).

Cube n. m.

1. Un **cube** est un *solide* limité par 6 faces carrées.

Toutes ses arêtes sont de même longueur.

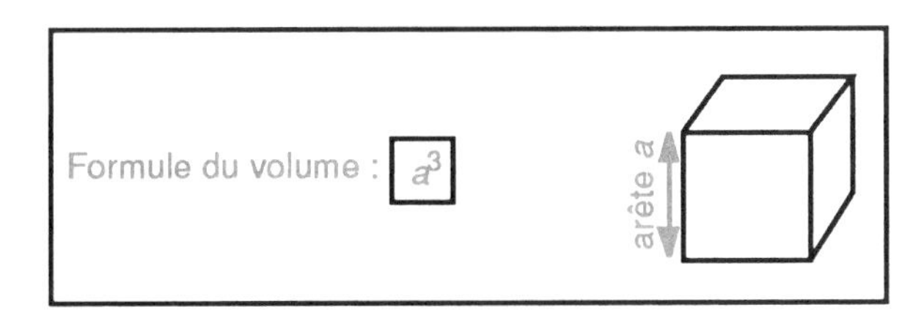

Exemples de *développements* du cube :

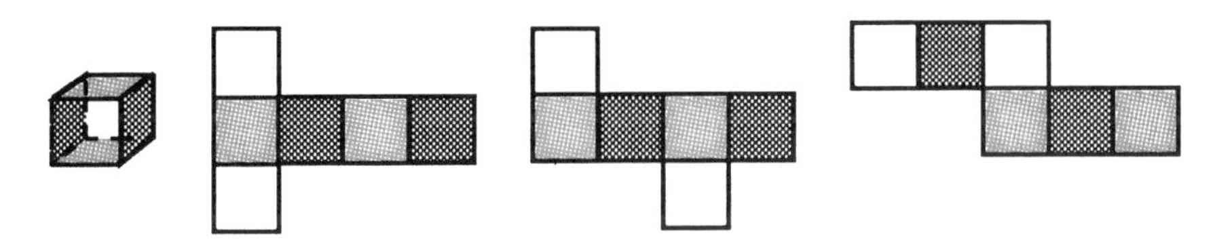

2. **Cube d'un nombre** → *puissance* (p. 140).

Cuisenaire adj. → *réglette Cuisenaire* (p. 150).

Cylindre n. m.

Lorsqu'on fait tourner de 360° un rectangle autour d'un côté, on délimite un solide appelé **cylindre**. Sa section est à tout endroit le même *disque*.

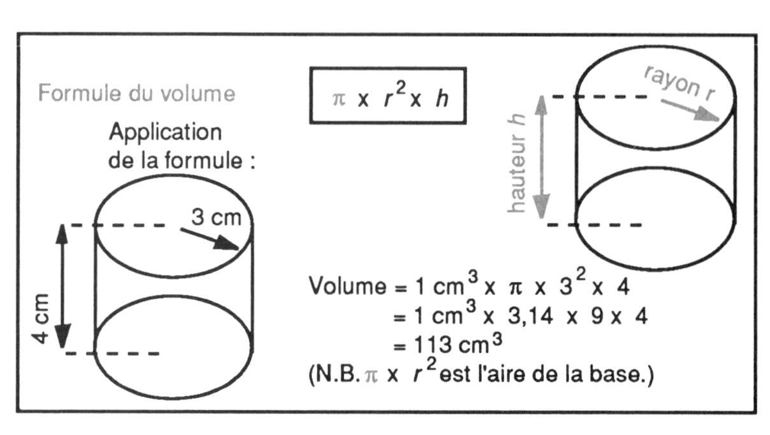

Développement du cylindre :

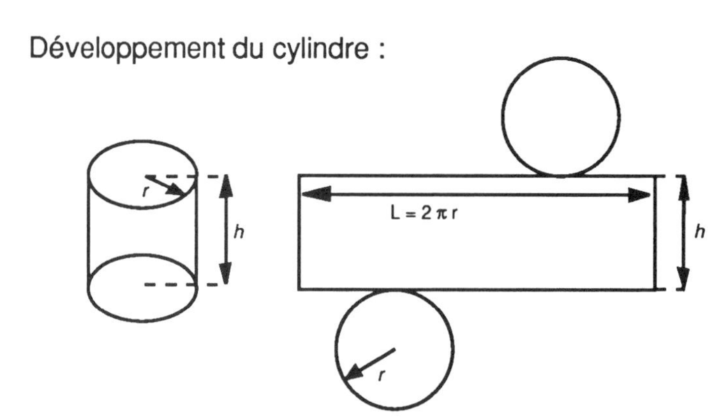

Dallage n. m.

Un **dallage** est un recouvrement d'un *plan* par plusieurs *polygones* rangés de sorte qu'il n'y ait aucun espace libre ni aucune superposition entre les polygones.

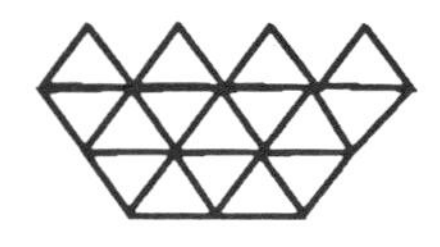

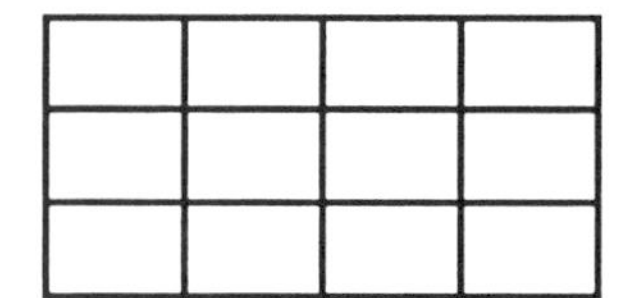

Décagone n. m.

Polygone à dix côtés. → *polygone* (p. 129).

Décamètre n. m.

1 dam = 10 m → *longueur* (p. 96).

Décilitre n. m.

1 dl $= \frac{1}{10}$ l → *capacité* (p.23).

Décimal adj. → *nombre décimal* (p. 108).

Décimètre n. m.

1 dm $= \frac{1}{10}$ m → *longueur* (p. 96).

Décimètre carré n. m.

1 dm^2 : aire d'un carré de 1 dm de côté. → *aire* (p. 6).

Décimètre cube n. m.

1 dm^3 : volume d'un carré de 1 dm d'arête. → *volume* (p. 180).

Décomposition n. f.

Une **décomposition,** c'est la représentation d'un nombre sous la forme d'une somme de *termes* ou d'un produit de ses *facteurs*.

11 + 19 est une décomposition additive de 30.
2 x 15 est une décomposition en facteurs de 30.
2 x 3 x 5 est la décomposition en *facteurs premiers* de 30.

Voir aussi *facteur* et *facteur premier*.

Décroissant adj. → *ordre* (p. 118).

Degré n. m.

1. Le **degré** est une unité de mesure d'*angle* dans un système dit sexagésimal (de base 60). Le degré se divise en 60 *minutes* et la minute se divise en 60 *secondes*. Une rotation complète autour d'un point correspond à un angle de 360 degrés.

2. Le **degré** d'une *équation* est déterminé par la valeur de l'*exposant* le plus élevé.

   EXEMPLES :

$4x^2 + x - 4 = 0$	Équation du deuxième degré parce que l'exposant le plus élevé est 2.
$y = mx + b$	Équation du premier degré parce que l'exposant le plus élevé est 1.

3. Le **degré** d'un *réseau* est déterminé par le nombre de *noeuds* contenus dans ce réseau.

4. Le **degré** d'un *noeud* est déterminé par le nombre de *branches* issues de ce noeud.

5. Le **degré Celsius** est une unité de mesure de température utilisée dans la majorité des pays. Le symbole °C signifie « degré Celsius ».

   Le **degré Fahrenheit** est aussi une unité de mesure de température. Cependant, son utilisation est restreinte à quelques pays anglophones, dont les États-Unis. Le symbole °F signifie « degré Fahrenheit ». Les relations existant entre ces deux unités de mesure sont exprimées par les formules suivantes :

   $$°C = \frac{5}{9}(°F - 32)$$

   $$°F = \frac{9}{5}\,°C + 32$$

Demi-droite n. f.

Une **demi-droite** est une partie de *droite* limitée d'un côté par un point appelé **origine** de la demi-droite.

Demi-droite fermée AB

Demi-droite ouverte AB

Demi-plan n. m.

Un **demi-plan** est une portion de *plan* qui est limitée par une *droite* tracée dans ce plan.

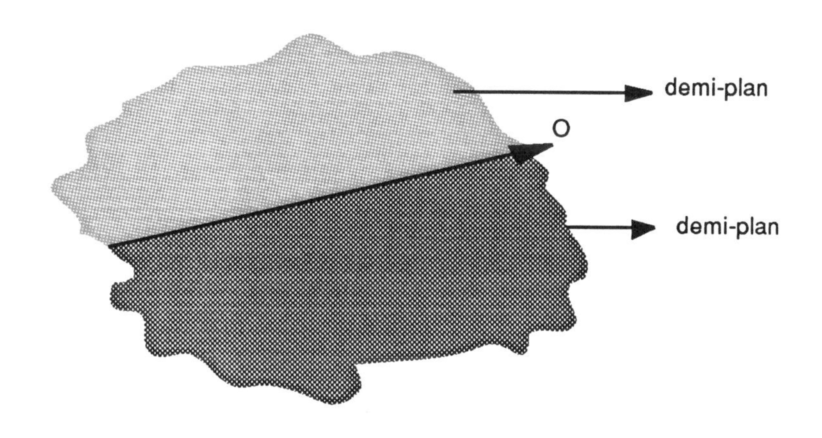

Dénominateur n. m.

Terme situé au-dessous de la barre de fraction. Ainsi, 4 est le **dénominateur** de la fraction $\frac{3}{4}$.

Le dénominateur indique en combien de parties l'unité a été divisée.

Voir aussi *fraction.*

Dénominateur commun n. m.

Un **dénominateur commun** à deux fractions est un nombre qui est un multiple des dénominateurs de chaque fraction.

Par exemple, les nombres 30, 90 ou 150 sont des dénominateurs communs aux deux fractions $\frac{5}{6}$ et $\frac{7}{15}$.

Pour effectuer des opérations sur les fractions, on doit souvent rechercher le plus petit dénominateur commun (le *P.P.C.M.* des dénominateurs).

Pour le trouver
1. On décompose chacun des dénominateurs en *facteurs premiers.*
2. On considère comme un seul facteur un facteur commun à toutes les décompositions.
3. On calcule le produit des facteurs communs avec les facteurs restants.

EXEMPLE :
Recherche du plus petit dénominateur commun à $\frac{3}{140}$ et à $\frac{7}{120}$.

$140 = 2 \times 2 \times 5 \times 7$
$120 = 2 \times 2 \times 2 \times 3 \times 5$

plus petit dénominateur commun (P.P.C.M.) :

$2 \times 2 \times 2 \times 3 \times 5 \times 7 = 840$

Mettre des fractions au même dénominateur, c'est transformer ces fractions en fractions équivalentes de même dénominateur.

Dans l'exemple ci-dessus, $\frac{3}{140} = \frac{18}{840}$ et $\frac{7}{120} = \frac{49}{840}$.

Densité n. f. → carré magique (p. 28).

Description d'un ensemble → *ensemble* (p. 64).

Développement n. m.

Développer un solide, c'est étendre sur un *plan* sa surface extérieure, ou encore le « déballer ». On obtient ainsi le **développement** de la figure, aussi appelé **patron**.

On peut développer un *cube*, une *pyramide*, un *cône*, un *cylindre*, mais pas une *sphère*.

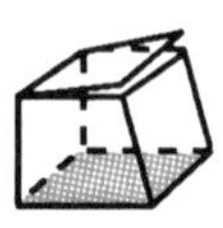

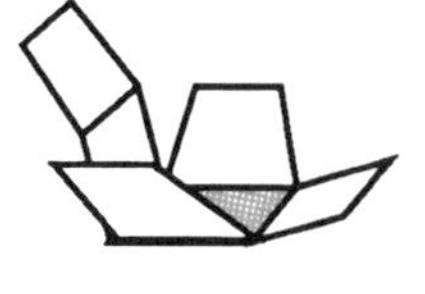

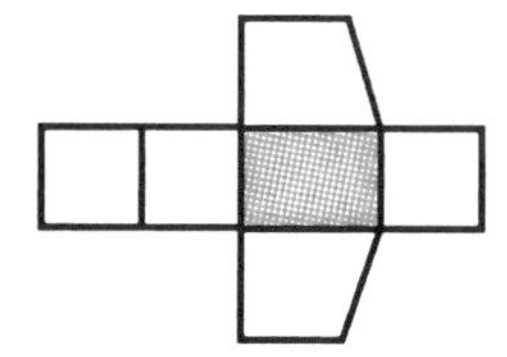

Développer v.

Développer une expression, c'est la transformer en une somme (ou différence) unique de termes, souvent pour rechercher une simplification.

EXEMPLES :
$3 \times 140 = 3 \times (100 + 40) = (3 \times 100) + (3 \times 40)$
$3a(x^2 + 2y) = 3ax^2 + 6ay$

Dans les deux exemples ci-dessus, on a pratiqué la *distributivité*.

$(a + b)^2 = b^2 + 5 \Leftrightarrow a^2 + 2ab + \cancel{b^2} = \cancel{b^2} + 5 \Leftrightarrow a^2 + 2ab = 5$

Factoriser une expression, c'est au contraire la transformer en un produit d'un maximum de facteurs, souvent pour rechercher une simplification.

EXEMPLES :
$37 \times 15 + 23 \times 15 = (37 + 23) \times 15$ ou $15 \times (37 + 23) = 60 \times 15$
$5a^2 - 5b^2 = 5(a^2 - b^2) = 5(a + b)(a - b)$.

Dans l'exemple ci-dessus, on a mis 5 en évidence pour pouvoir factoriser un produit.

$$\frac{16a + 24ab}{10a^2b + 15a^2b^2} = \frac{8a\cancel{(2 + 3b)}}{5a^{\cancel{2}}b\cancel{(2 + 3b)}} = \frac{8}{5ab} \quad (a, b \neq 0)$$

Ici, on a mis en évidence puis simplifié les facteurs.

Que ce soit pour développer ou factoriser, la propriété utilisée est la *distributivité*.

Voir aussi *simplifier*.

Diagonale n. f.

Une **diagonale** est un *segment* de *droite* qui relie deux sommets qui ne sont pas liés par un côté, dans un polygone.

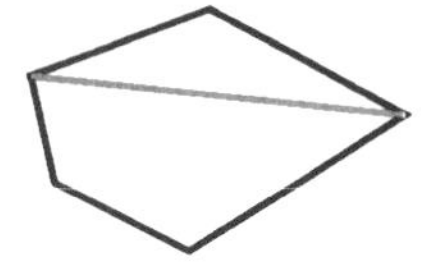 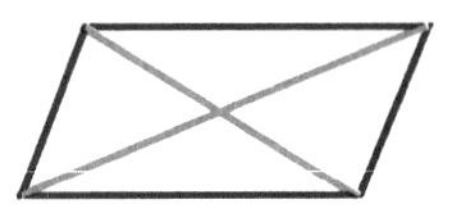

Les diagonales de tout *parallélogramme* se coupent en leur milieu. De plus, les diagonales des *rectangles* sont de même longueur et celles des *losanges* sont *perpendiculaires*.

Diagramme à bandes n. m.

Un **diagramme à bandes** est une représentation graphique où l'on associe à chaque valeur de la *variable* une bande de forme rectangulaire dont la longueur est proportionnelle à la valeur de cette *variable*. Cette bande peut être verticale ou horizontale.

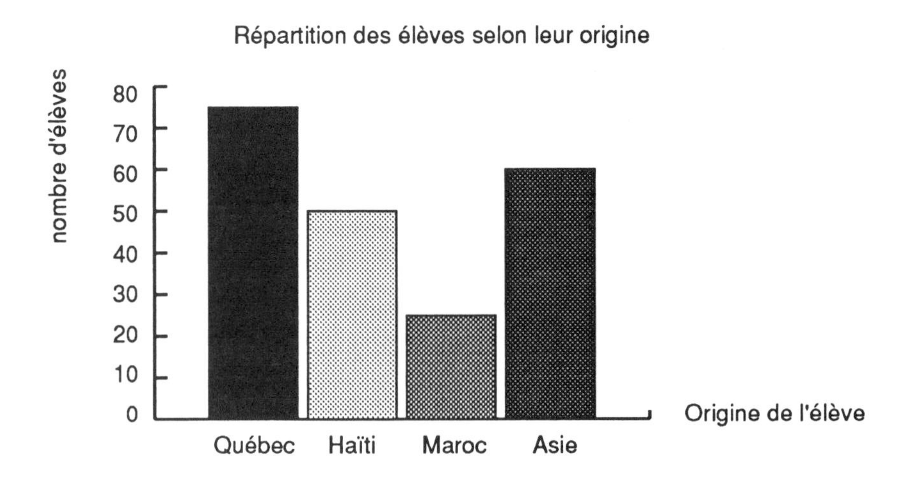

Voir aussi *histogramme*.

Diagramme cartésien n. m. (diagramme à ligne brisée)

Un **diagramme cartésien** permet d'illustrer une relation qui lie deux grandeurs.

EXEMPLES :

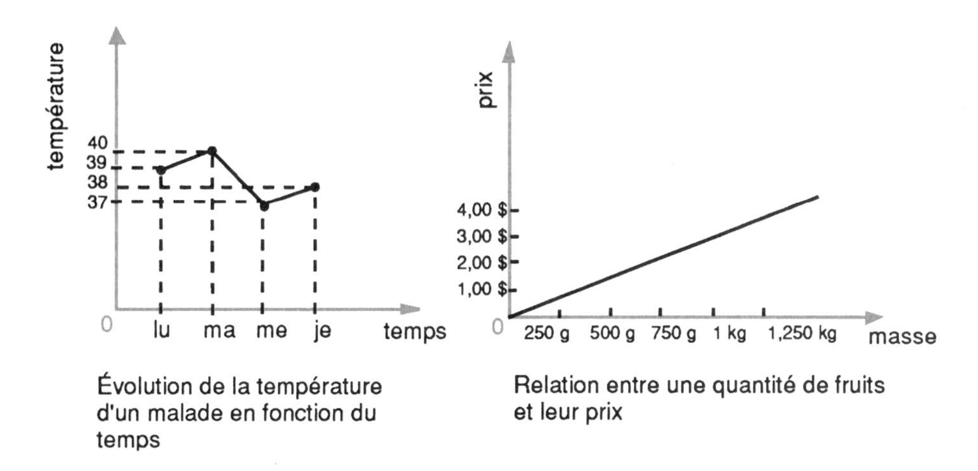

Évolution de la température d'un malade en fonction du temps

Relation entre une quantité de fruits et leur prix

Les deux grandeurs sont représentées sur des axes perpendiculaires gradués appelés **axes de coordonnées**.

L'axe horizontal est l'**axe des abscisses** et l'axe vertical, l'**axe des ordonnées**.

Le point d'intersection O des deux axes est l'**origine** des axes.

Voir aussi *coordonnées*.

Diagramme circulaire n. m.

Un **diagramme circulaire** est une représentation graphique de forme circulaire où l'on associe à chaque valeur de la *variable* une portion du *cercle* dont l'*angle* est proportionnel à la valeur de cette variable.

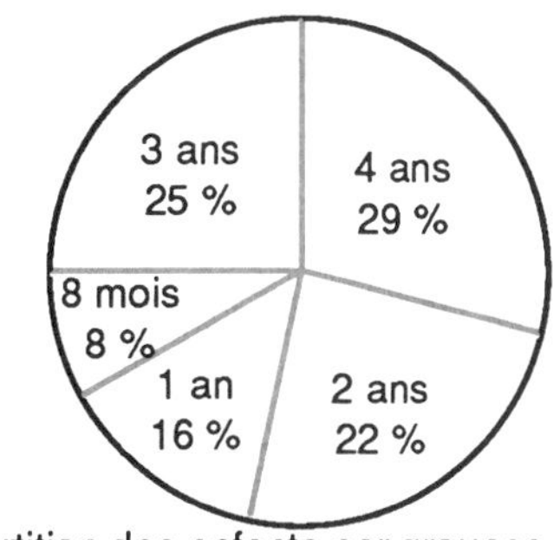

Répartition des enfants par groupes d'âge à la maternelle le Petit Prince

Diagramme de Carroll n. m.

Un **diagramme de Carroll** est une représentation graphique d'un *ensemble* dans lequel les *éléments* sont placés à l'intérieur d'une région contenue dans un rectangle représentant lui-même le *référentiel*. Ce type de diagramme met en évidence une partie de l'ensemble et son complémentaire.

	diviseurs de 14	non-diviseurs de 14
nombres premiers	2, 7	3, 5, 11, 13
nombres composés	14	4, 9, 6, 8, 12, 10

R = { 2, 3, 4, 5, 6, 7, 8, 9, 10, 11, 12, 13, 14 }

Diagramme de Venn n. m.

Un **diagramme de Venn** est une représentation graphique d'un ou de plusieurs *ensembles* où les éléments sont représentés par des points et les ensembles par des lignes fermées.

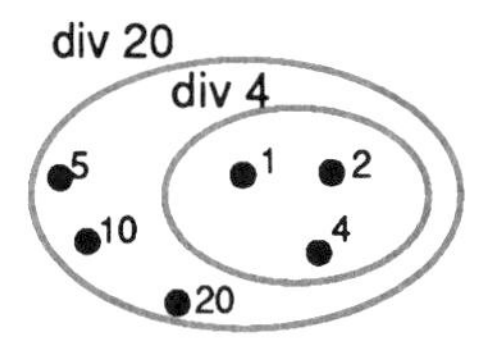

Diagramme de Venn de l'ensemble des diviseurs de 20 et de l'ensemble des diviseurs de 4.

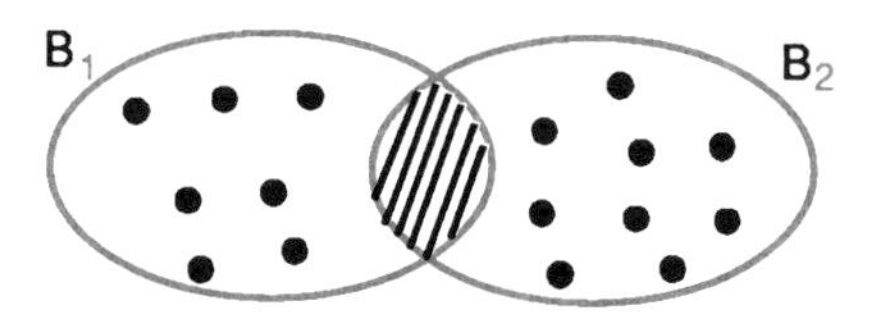

Diagramme de Venn de deux droites parallèles (disjointes). Les hachures représentent une plage vide.

Diagramme sagittal n. m.

Un **diagramme sagittal** est une représentation graphique d'une relation dans laquelle les *couples d'une relation* sont unis par des flèches allant de l'*ensemble* de départ vers l'*ensemble* d'arrivée.

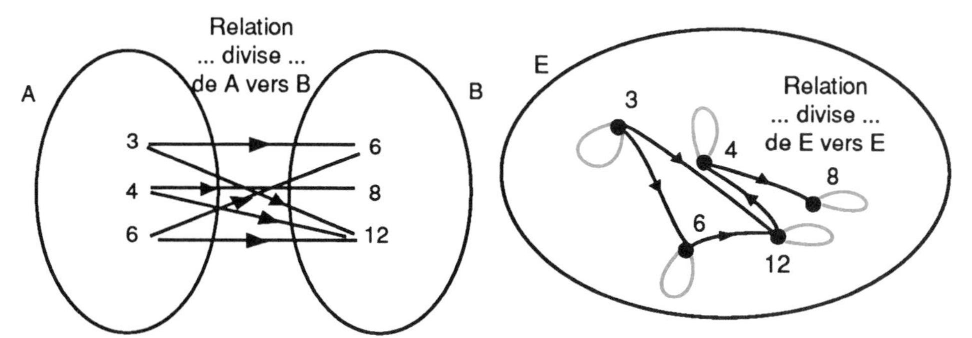

Dans une relation de E vers E, une flèche qui relie un élément à lui-même se nomme **boucle**.

Diamètre n. m.

Le **diamètre** d'un cercle est le *segment de droite* joignant deux points du *cercle* et passant par le centre. Longueur de ce segment.

Voir aussi *corde*.

Dichotomique adj. → *arbre* (p. 13).

Différence n. f.

1. La **différence** est le résultat d'une soustraction.

   EXEMPLE :
   20 — 14 = 6
   6 est la différence entre 20 et 14.

2. La **différence** de l'*ensemble* A et de l'ensemble B est l'ensemble des éléments qui appartiennent à A sans appartenir à B.

   On la note A \ B (A moins B).

   EXEMPLE :

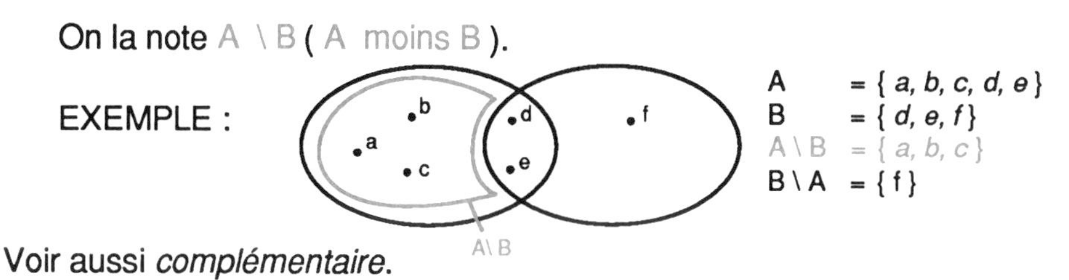

Voir aussi *complémentaire*.

3. La **différence** symétrique des *ensembles* A et B est l'ensemble, noté $A \Delta B$, des éléments qui sont exclusifs à A et à B.

$$
\begin{aligned}
A \Delta B &= (A \cup B) \setminus (A \cap B) \\
&= (A \setminus B) \cup (B \setminus A)
\end{aligned}
$$

EXEMPLE :

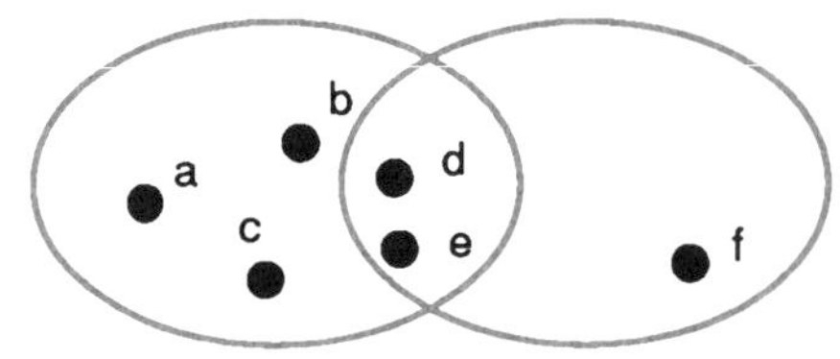

$A = \{a, b, c, d, e\}$
$B = \{d, e, f\}$
$A \Delta B = \{a, b, c, f\}$

Dimension n. f.

Une *ligne* est une figure à une **dimension**, car elle ne possède qu'une grandeur mesurable, la longueur.

Une *surface* est une figure à deux **dimensions**, parce qu'elle possède deux grandeurs mesurables, la longueur et la largeur.

L'espace, ou un *solide*, sont dits à trois **dimensions**, parce qu'ils possèdent trois grandeurs mesurables, la longueur, la largeur et la hauteur.

EXEMPLE :

Voir aussi *grandeur*.

Direction n. f.

La **direction** d'une droite A est l'ensemble de toutes les droites *parallèles* à cette droite. On la note dir A.

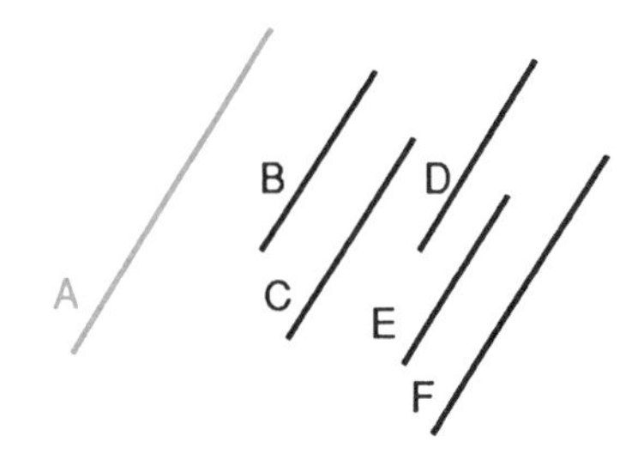

dir A = { A, B, C, D, E, F,... }

À ne pas confondre avec *sens* (voir ce mot).

Directrice * n. f.. → *génératrice* (p. 81).

Discret * adj.

Une *variable* est dite **discrète** si elle ne prend qu'un nombre fini de valeurs.

Disjoint adj. → *ensemble* (p. 64) et *intersection* (p. 92).

Disque n. m.

Le terme **disque** désigne la *surface* délimitée par le cercle, alors que le terme **cercle** désigne la *frontière* du disque.

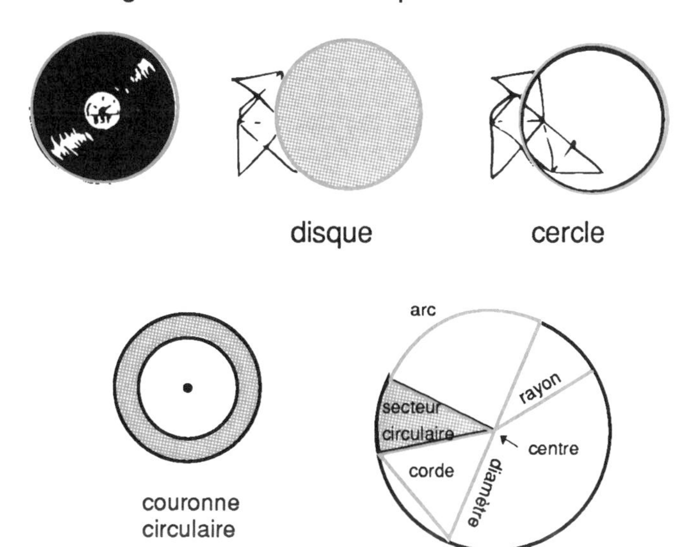

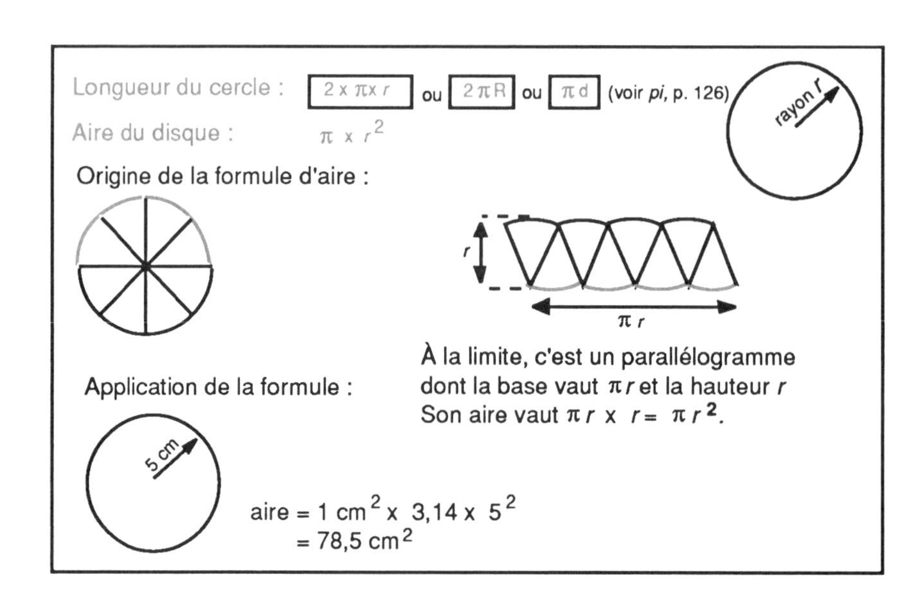

Voir aussi *pi.*

Distance n. f.

La **distance** est le plus court chemin, ou l'écartement minimal entre deux éléments. On la prend perpendiculairement à une droite, à un segment ou à un plan.

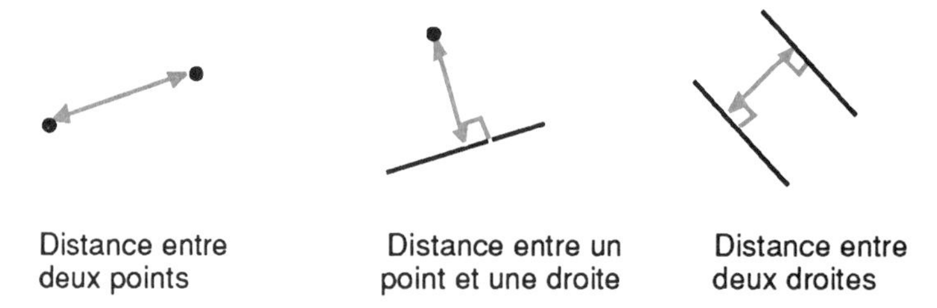

Distance entre deux points — Distance entre un point et une droite — Distance entre deux droites

Voir aussi *coordonnées polaires.*

Distribution n. f.

En statistique, une **distribution** est un ensemble de faits observés ou de valeurs expérimentales d'une *variable* statistique donnée.

Distributivité n. f.

Lorsqu'on additionne des termes et que l'on multiplie cette somme par un nombre, on peut procéder de deux façons différentes et obtenir le même résultat.

EXEMPLE :

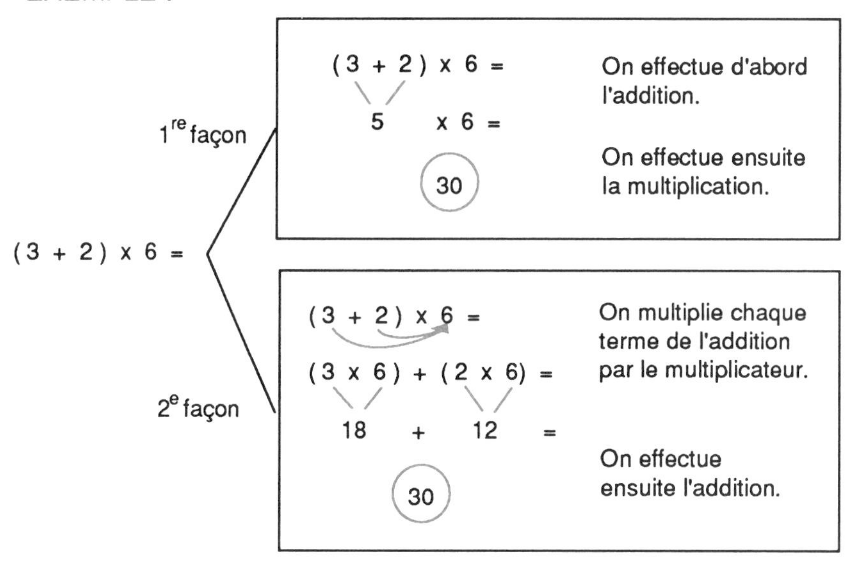

1. La propriété qui permet de procéder de l'une ou l'autre façon et d'obtenir le même résultat est la **distributivité de la multiplication sur l'addition**. Puisque la multiplication est commutative, la distributivité s'applique également si on inverse l'ordre des termes.

EXEMPLE :

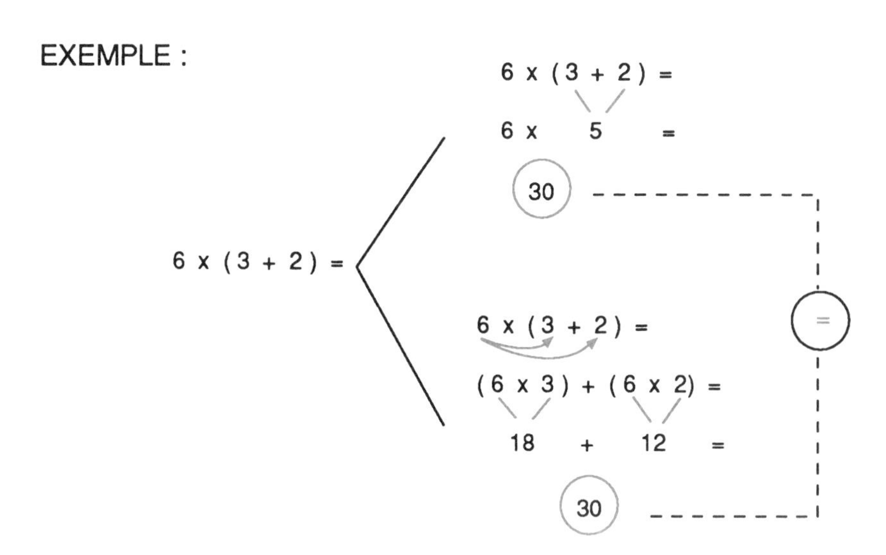

2. **La multiplication est distributive sur la soustraction.**

EXEMPLES :

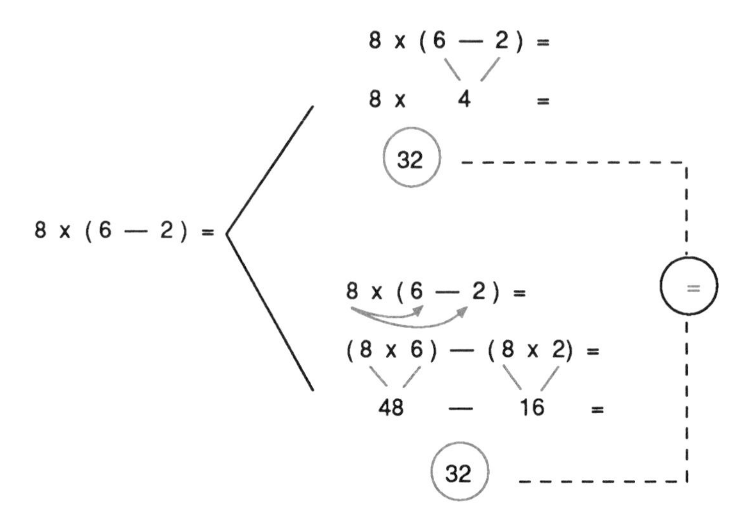

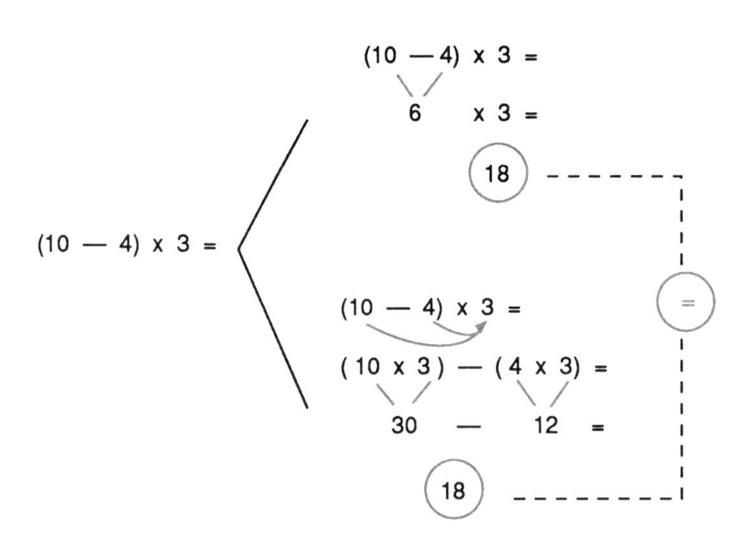

3. **La division est distributive sur l'addition.**

Mais comme la division n'est pas commutative, la propriété de distributivité ne s'applique que si la somme est au dividende.

EXEMPLES :

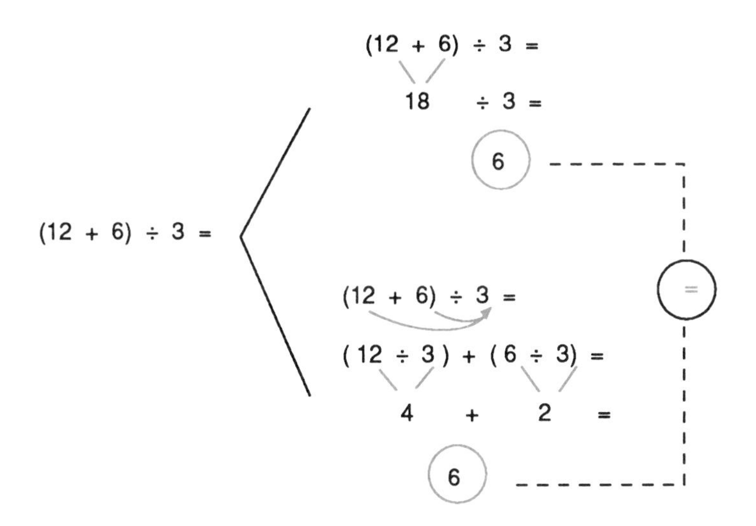

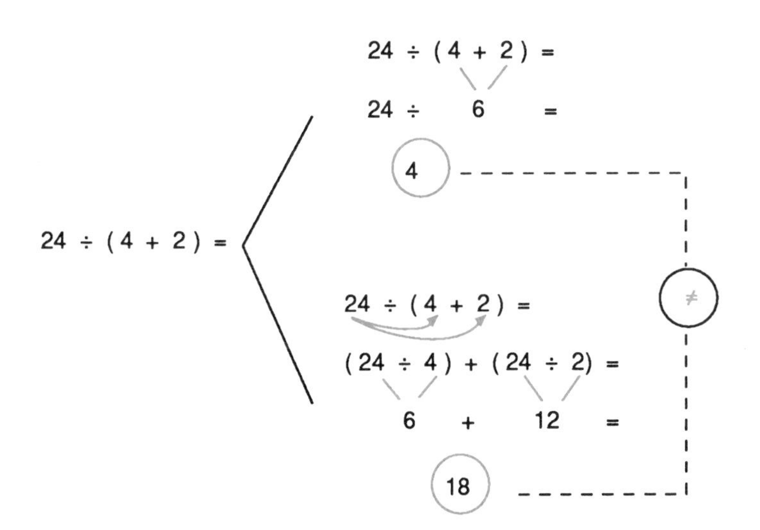

4. La division est distributive sur la soustraction.

La propriété de distributivité s'applique uniquement dans le cas où la soustraction est au dividende.

EXEMPLE :

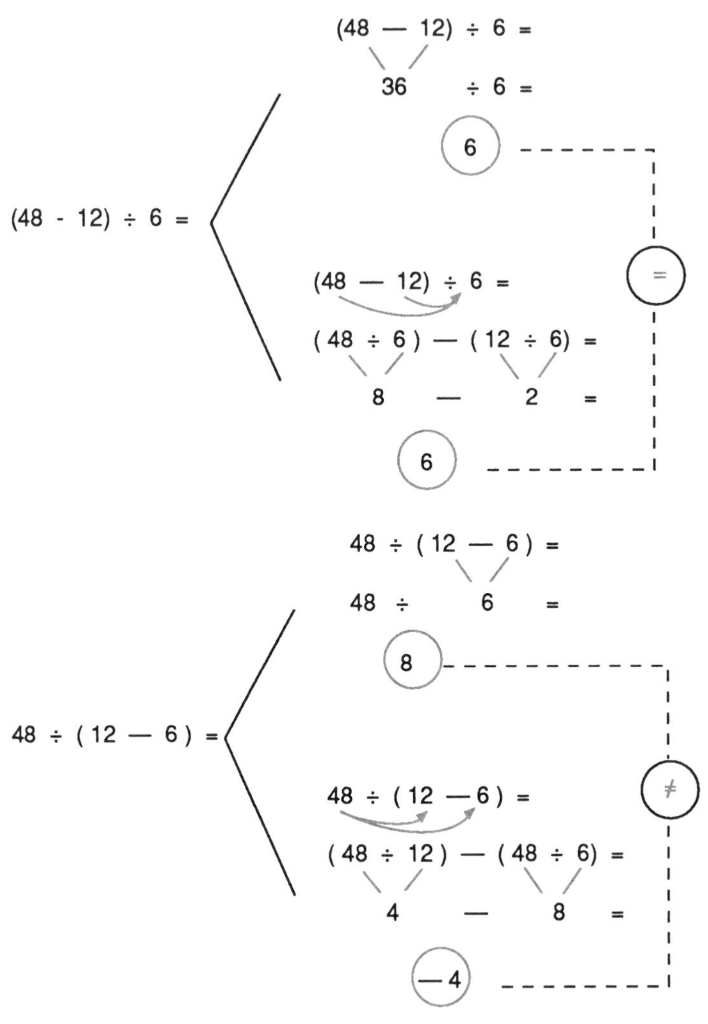

Dividende n. m.

Le **dividende** est le premier terme d'une division.

C'est le nombre que l'on divise.

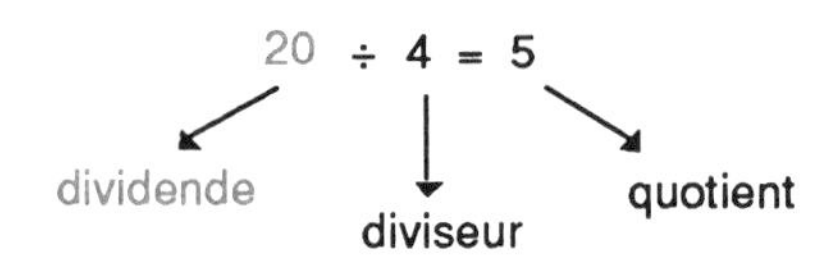

Diviseur n. m.

Second terme d'une division. Ainsi, dans 44 ÷ 8 = 5,5, le diviseur est 8.

Diviseur entier (Diviseur)

Un **diviseur** entier d'un nombre est un nombre entier qui est contenu un certain nombre de fois, sans reste, dans ce nombre.

Quand un nombre est un diviseur entier d'un autre nombre, on dit aussi qu'il est un **diviseur** de ce nombre.

EXEMPLE :
5 est diviseur de 15, car 15 ÷ 5 = 3 reste 0.
3 est diviseur de 15, car 15 ÷ 3 = 5 reste 0.
1 est diviseur de 15, car 15 ÷ 1 = 15 reste 0.
15 est diviseur de 15, car 15 ÷ 15 = 1 reste 0.

MAIS : 4 n'est pas diviseur de 15, car 15 ÷ 4 = 3 reste 3.
0 n'est pas diviseur de 15, car on ne peut jamais diviser un nombre par 0.

On dit que 15 est *divisible* par 5, par 3, par 1 et par 15.

L'ensemble des diviseurs d'un nombre n se note Div (n)

Div 15 = { 1, 3, 5, 15 }

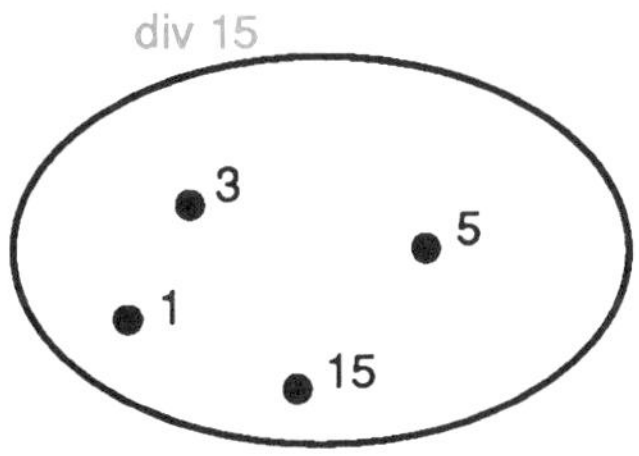

Pour la recherche des diviseurs d'un nombre, voir *arbre*.

Voir aussi *caractères de divisibilité*, *nombre premier*, *dividende*.

Diviseur commun n. m.

Un nombre qui est un *diviseur entier* d'un premier et d'un deuxième nombre est appelé **diviseur commun** à ces deux nombres.

EXEMPLE :
2 est un diviseur commun de 4 et de 6, car 2 est diviseur entier de 4 et diviseur entier de 6.

Voir aussi *P.G.C.D.*

Divisible adj.

30 est **divisible** par 2, par 6, ..., mais pas par 4.

Voir aussi *diviseur entier.*

Divisibilité n. f. → *caractères de divisibilité* (p. 24).

Division n. f.

La **division** est une des quatre *opérations* de base en arithmétique. Elle consiste à chercher combien de fois un nombre, appelé le *diviseur*, est contenu dans un autre, appelé le *dividende.*

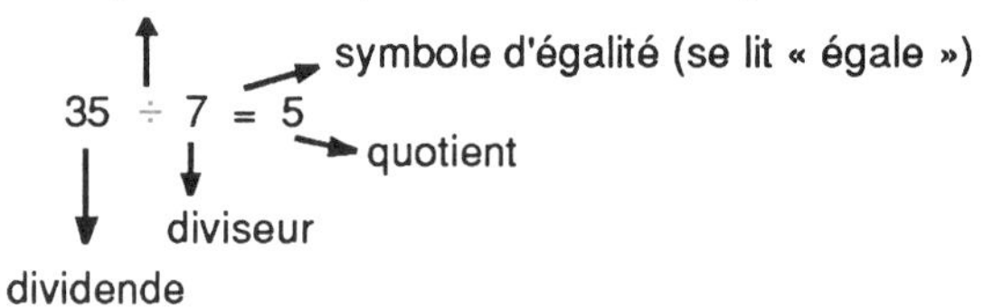

Dixième n. m.

$0,1 = \frac{1}{10}$ → *nombre décimal* (p. 108).

Dizaine n. f.

Une **dizaine** est un regroupement de dix objets. Dans le système décimal de numération, c'est la deuxième position à gauche de la *virgule de cadrage*.

Voir aussi *système de numération* .

Dodécaèdre n. m.

Polyèdre à 12 faces. → *polyèdre* (p. 128).

Dodécagone n. m.

Polygone à 12 côtés. → *polygone* (p. 129).

Droit adj. → *angle* (p. 10), *cône* (p. 34), *cylindre* (p. 41), *prisme* (p.135).

Droite n. f.

Une **droite** est une ligne formée d'une infinité de points alignés. Une droite est illimitée des deux côtés. Un fil parfaitement tendu, et qui n'aurait pas de limite, en donne une image.

On la note d ou AB.

Une **droite orientée** est une droite sur laquelle on a défini un *ordre*. Elle possède un sens (en général de gauche à droite ou de bas en haut) et on y représente les nombres dans un ordre croissant.

La droite ainsi obtenue est appelée **droite numérique**.

Durée n. f. → *temps* (p. 172).

Échelle n. f.

Une représentation à l'**échelle** est une représentation dans laquelle les *proportions* sont respectées, comme sur la photo de quelqu'un (sinon ce serait une caricature : nez trop grand, yeux trop rapprochés, etc.).

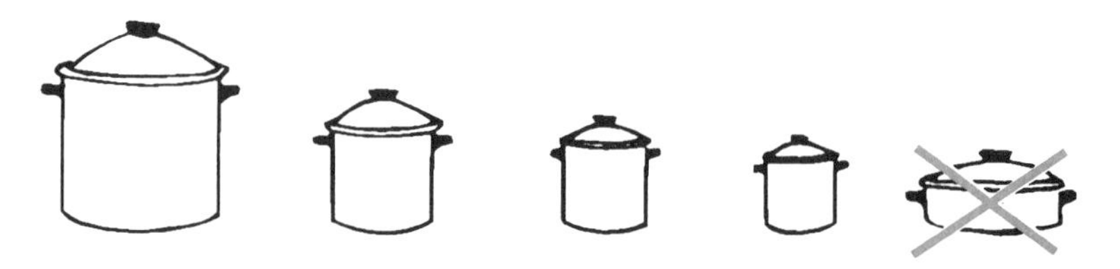

EXEMPLES :

Une représentation à l'échelle $\frac{1}{2}$ de ce crochet signifie que chacune des dimensions du crochet a été divisée par 2.

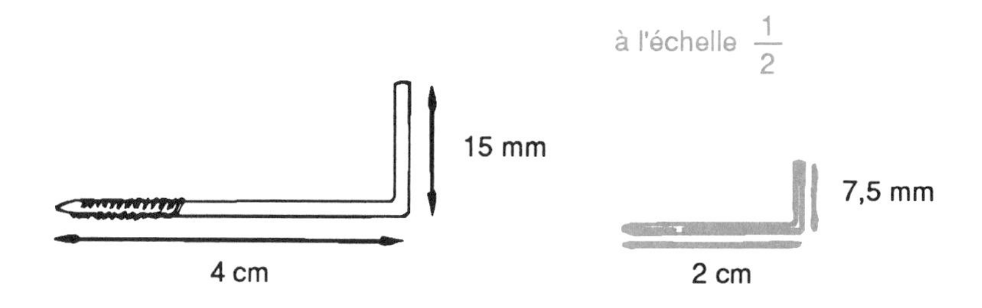

Une carte à l'échelle 1/20 000 signifie que 1 cm sur la carte représente en réalité 20 000 cm, c'est-à-dire 200 m.

Échelle 1/20 000 ou échelle 1 : 20 000

Voir aussi *homothétie*.

Égalité n. f.

1. Une **égalité** exprime le fait que deux quantités ont la même valeur.

EXEMPLES :
. $16 = 2 \times 8$
. XII = 12
. $2\pi r = \pi d$
. $3 \times 3 \times 3 \times 3 = 3^4 = 81$ etc.

2. Deux *ensembles* sont *égaux* s'ils comprennent les mêmes éléments.

Voir aussi *équation*, *simplifier*.

Élément n. m.

Un **élément** est un des objets qui constituent un *ensemble*. On utilise le symbole $\in$ pour signifier l'appartenance d'un élément à un ensemble donné : $5 \in A$ (se lit « 5 est un élément de l'ensemble A »).

Élément absorbant * n. m.

Un **élément** est dit **absorbant** si, pour toute opération $*$ dans un *ensemble* E, on a $x * n = n = n * x$ et ce, quel que soit l'élément x de E.

EXEMPLES :
. 0 est absorbant pour la multiplication des nombres parce que : $5 \times 0 = 0 = 0 \times 5$.
. $\varnothing$ (se lit « l'ensemble vide ») est absorbant pour l'intersection d'ensembles parce que : $A \cap \varnothing = \varnothing = \varnothing \cap A$.

Élément neutre n. m.

Un **élément neutre** est un élément qui ne modifie pas le résultat d'une opération, qu'il soit mis à gauche ou à droite.

EXEMPLES :
. 0 est neutre pour l'addition des nombres parce que : $3 + 0 = 3 = 0 + 3$.
. 1 est neutre pour la multiplication des nombres parce que : $8 \times 1 = 8 = 1 \times 8$.
. $\varnothing$ est neutre pour la réunion d'ensembles parce que : $A \cup \varnothing = A = \varnothing \cup A$.

Ellipse n. f.

Une **ellipse** est une courbe *convexe* et *fermée*. Elle possède deux axes de *symétrie*. Chacun des points P formant une ellipse est tel que la somme de ses *distances* à deux points fixes (foyers) est constante.

F_1 et F_2 sont les *foyers* de cette ellipse.

$d_1 + d_2$ est une *constante*.

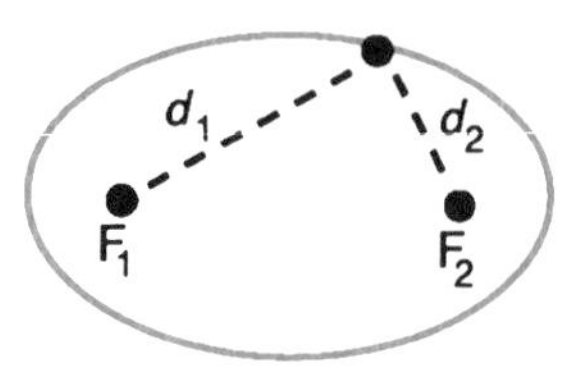

Ennéagone * n. m.

Polygone à neuf côtés. → *polygone* (p. 129).

Ensemble n. m.

Un **ensemble** est un groupement bien précis d'éléments qui, souvent, possèdent une caractéristique commune.

Un ensemble est défini si on peut affirmer qu'un objet quelconque lui appartient ou non.

EXEMPLES :

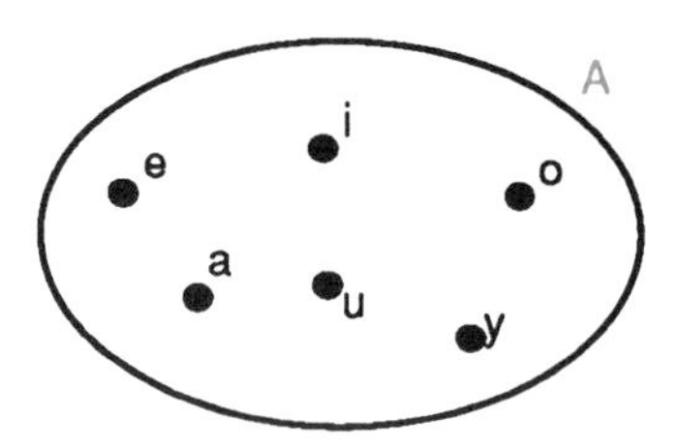

L'ensemble A des voyelles

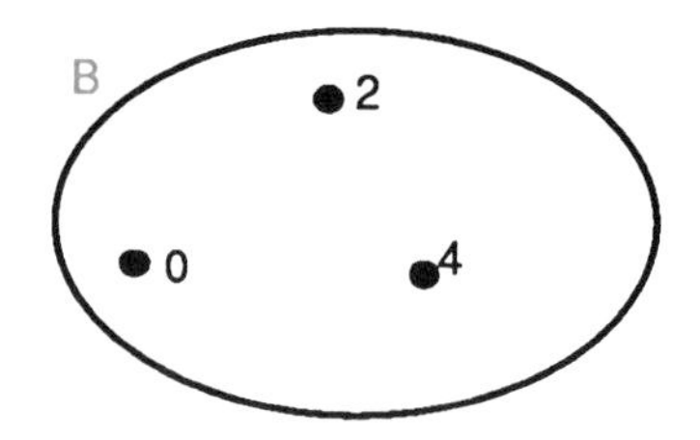

L'ensemble B des nombres pairs inférieurs à 5

On dit d'un élément d'un ensemble qu'il **appartient** à cet ensemble. Par exemple, *i* appartient à A et 4 appartient à B, ce qui se note $i \in A$ et $4 \in B$.

Un **ensemble vide** est un ensemble qui ne contient aucun élément. Pour illustrer un ensemble vide, on peut tracer un *diagramme de Venn* hachuré. Le symbole Ø ou { } signifie « ensemble vide ».

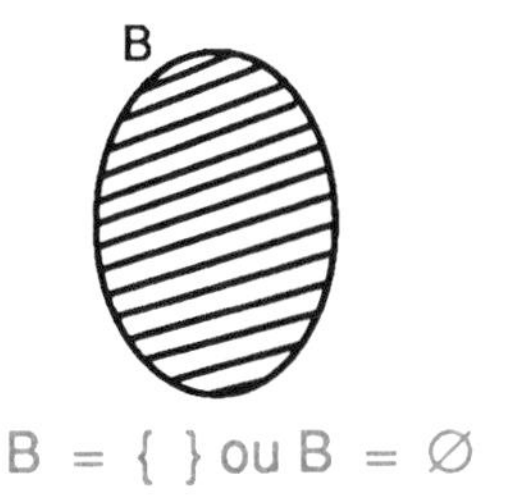

B = { } ou B = Ø

Lorsque deux ensembles n'ont aucun élément en commun ($A \cap B = \emptyset$), on dit qu'ils sont **disjoints**.

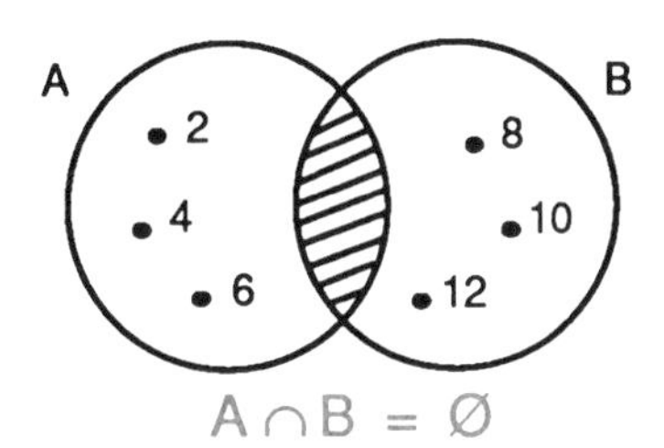

$A \cap B = \emptyset$

Lorsque deux ensembles contiennent exactement les mêmes éléments ($A \cup B = A$ et $A \cup B = B$), on dit qu'ils sont **égaux**.

$A \cup B = A$ et
$A \cup B = B$

Lorsque deux ensembles contiennent exactement le même nombre d'éléments, on dit qu'ils sont **équipotents**. Ces ensembles ont le même *cardinal*.

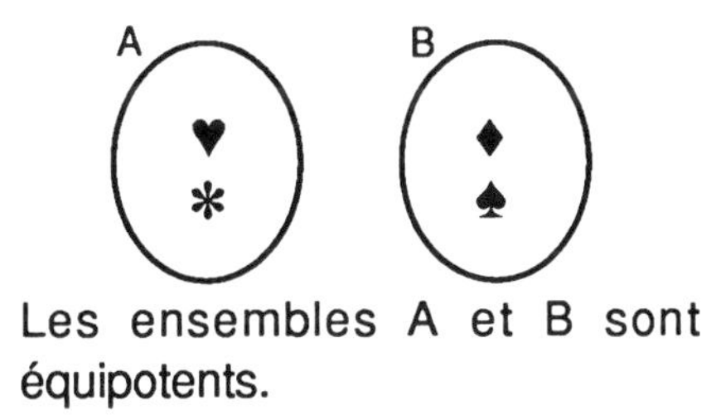

Les ensembles A et B sont équipotents.

A = 2 et # B = 2

Un ensemble est décrit en **extension** si l'on nomme chacun de ses éléments : A = { a, e, i, o, u, y } ; B = { 0, 2, 4 }.

Un ensemble est décrit en **compréhension** si l'on énonce une propriété commune à tous ses éléments : A est l'ensemble des voyelles, B est l'ensemble des nombres pairs inférieurs à 5.

Notation :

$A = \{ x \mid x \text{ est une voyelle} \}$ (A est l'ensemble des x tels que x est une voyelle).

$B = \{ x \mid x \in 2\mathbb{N} \text{ et } x < 5 \}$

Les ensembles A et B sont des **ensembles finis** parce qu'on peut compter leurs éléments. Par contre, l'ensemble $\mathbb{N}$ des nombres naturels est un **ensemble infini** parce qu'il contient un nombre *infini* d'éléments.

Un ensemble est décrit par un *diagramme de Venn* si l'on fait une représentation graphique de cet ensemble, où tous les éléments sont indiqués par des points identifiés et regroupés à l'intérieur d'une ligne simple fermée.

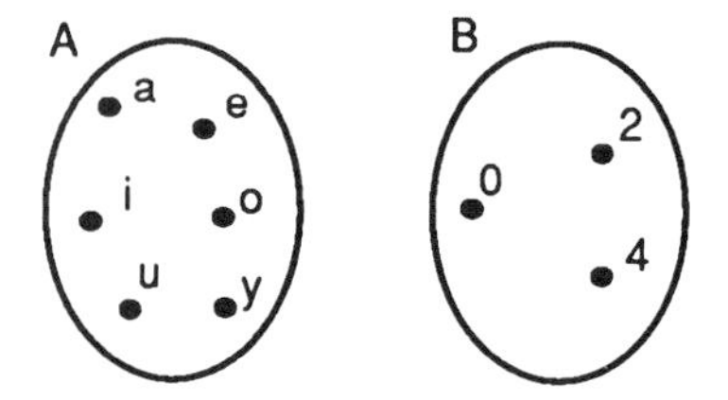

Voir aussi *cardinal*, *inclusion*, *intersection*, *réunion*.

Ensemble-solution n. m.

Un **ensemble-solution** est l'ensemble des valeurs qui vérifient une *équation* ou une *inéquation*. C'est aussi l'ensemble des couples qui vérifient une *relation*.

Entier (Entier relatif) adj. → *nombre entier* (p. 110).

Énumérer v.

Énumérer les éléments d'un ensemble consiste à dresser la liste des éléments qui appartiennent à cet ensemble.

Équation n. f.

Une **équation** est une expression mathématique dans laquelle on trouve un signe d'égalité et au moins une variable (souvent *x* et *y*).

EXEMPLES :

$x + 7 = 23$

$y = x + 5$

$2y = 4x + 2$ ⇕ $y = 2x + 1$ — *équations* **équivalentes** (Voir *simplifier*.)

Une équation exprime une relation; elle donne un renseignement sur la valeur d'une ou de plusieurs variables. Par exemple, la première équation de l'exemple ci-dessus indique que *x* vaut 16. La deuxième équation indique que la valeur de *y* sera toujours égale à la valeur de *x* plus 5 : si *x* vaut 2, *y* vaudra 7; si *x* vaut 10, *y* vaudra 15.

On peut aussi dire qu'une équation pose une question : « Quels sont les nombres qui, remplaçant l'inconnue, donnent une égalité? ». Par exemple, l'équation $x + 7 = 23$ pose la question : « Quel est le nombre qui, augmenté de 7, égale 23? »

Une **équation du premier degré** est une équation dans laquelle on ne trouve pas de puissance (> 1) d'une variable, ni un produit de variables. Ainsi, $y = 2x$; $3x + 4y = 15$ et $x = 5$ sont des équations du premier degré.

On les appelle **équations linéaires** parce qu'elles sont toujours l'équation d'une *droite*.

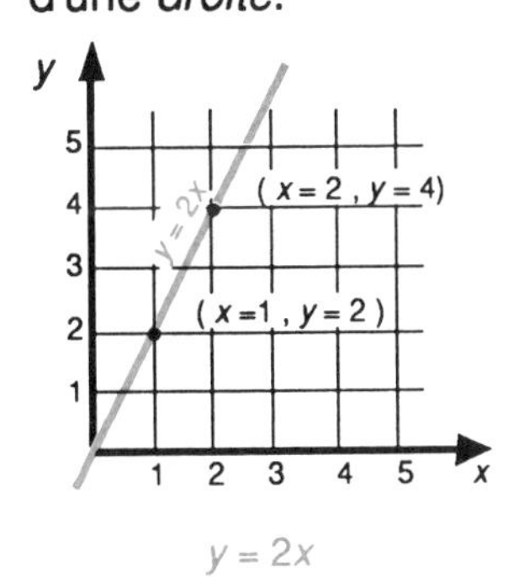

$y = 2x$

Sur chaque point de la droite, la valeur de *y* est le double de celle de *x*.

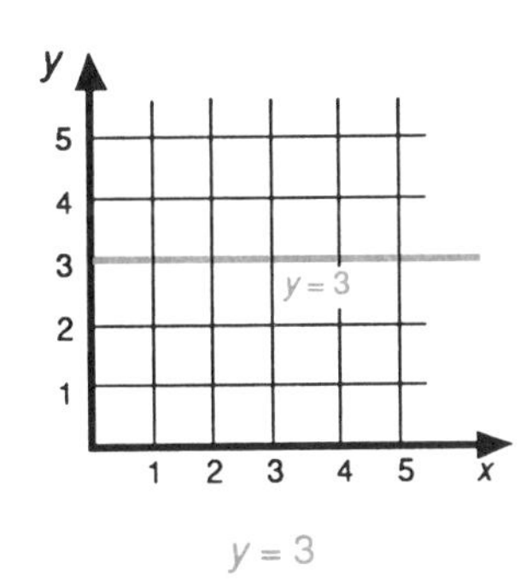

$y = 3$

Quelle que soit la valeur de *x*, la valeur de *y* est toujours 3.

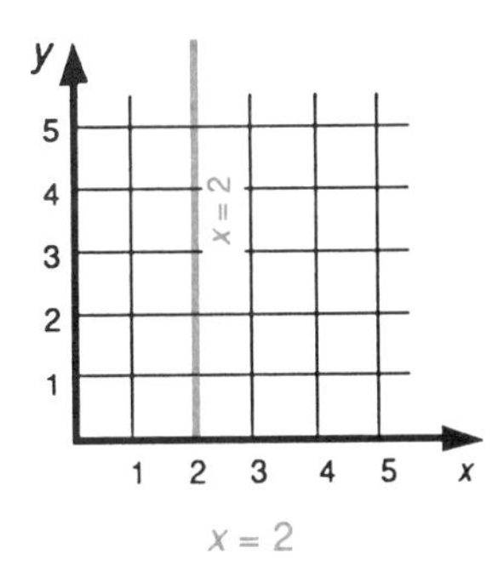

$x = 2$

Quelle que soit la valeur de y, la valeur de *x* est toujours 2.

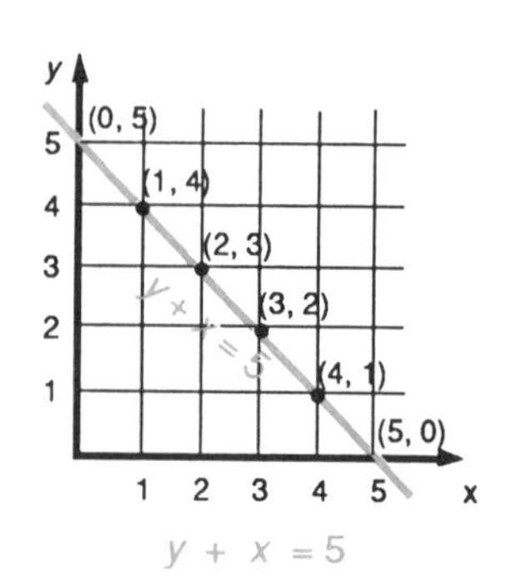

$y + x = 5$

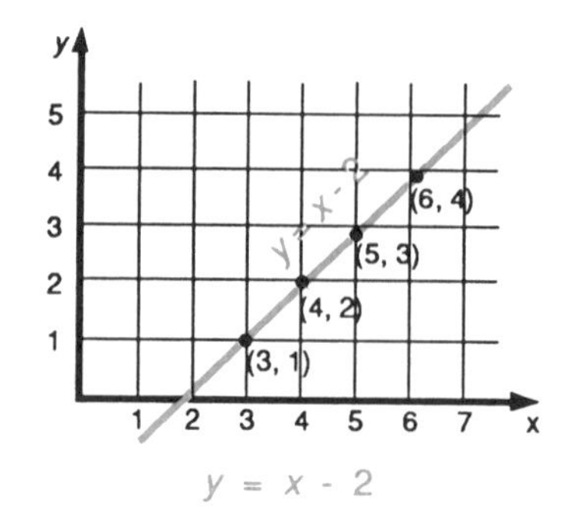

$y = x - 2$

Une **équation du second degré** est une équation dans laquelle on trouve, comme plus haute puissance, au moins une *variable* au carré ou un produit de deux variables. Ainsi, $y^2 = 9$, $x + x^2 = y^2$ et $xy = 12 + x$ sont des équations du second degré.

Voir aussi *forme propositionnelle*.

Équilatéral adj.

Un *polygone* est **équilatéral** si tous ses côtés sont *congrus*.

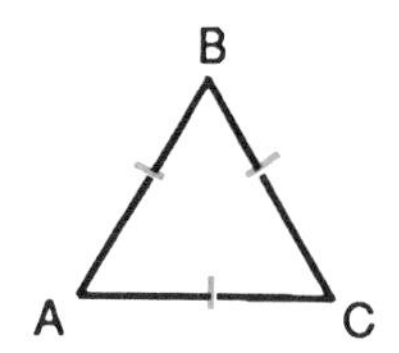

Le ΔABC est équilatéral parce que $m\overline{AB} = m\overline{BC} = m\overline{AC}$.

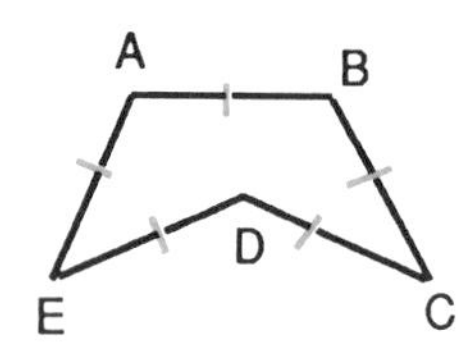

Le pentagone ci-contre est équilatéral parce que $m\overline{AB} = m\overline{BC} = m\overline{CD} = m\overline{DE} = m\overline{AE}$.

Équipotent adj.

→ *cardinal* (p. 26) et *ensemble* (p. 64).

Équivalent adj. → *figure géométrique (p. 73), fraction* (p. 77), *équation* (p. 67).

Estimation n. f.

Une **estimation** est la détermination de la valeur approchée d'un résultat par calcul écrit ou par calcul mental.

Voir aussi *approximation.*

Estimer v.

Faire une *estimation.*

Euler (relation d') n. f. → *relation d'Euler* (p. 151).

Expérience n. f. → *probabilité* (p. 136).

Exponentiel adj.

Écrire un nombre sous sa forme **exponentielle**, c'est décomposer en facteurs ce nombre et utiliser les *exposants* pour indiquer combien de fois un facteur est contenu dans ce nombre.

EXEMPLES :
8 écrit sous sa forme exponentielle devient 2^3.
24 écrit sous sa forme exponentielle devient $2^3 \times 3$.

Exposant n. m.

Un **exposant** est un nombre, une lettre, un symbole qui indique combien de fois une quantité est multipliée par elle-même.

Ainsi $6^2 = 6 \times 6$
$4^5 = 4 \times 4 \times 4 \times 4 \times 4$

Dans l'expression $2^3 = 8$, 2 est la base;
3 est l'exposant;
2^3 et 8 sont appelés puissance de 2.

Pour faciliter les calculs avec les nombres sous leur forme exponentielle, la connaissance de certaines lois est utile.

$a^m \times a^n = a^{m+n}$ Exemple : $2^3 \times 2^4 = 2^{3+4} = 2^7$

$\frac{a^m}{a^n} = a^{m-n}$ Exemple : $\frac{2^5}{2^2} = 2^{5-2} = 2^3$

$(a^m)^n = a^{m \times n}$ Exemple : $(2^3)^2 = 2^{3 \times 2} = 2^6$

$(abc)^m = a^m b^m c^m$ Exemple : $(2 \times 3 \times 4)^3 = 2^3 \times 3^3 \times 4^4$

$\left(\frac{a}{b}\right)^m = \frac{a^m}{b^m}$ Exemple : $\left(\frac{2}{3}\right)^4 = \frac{2^4}{3^4}$

$a^0 = 1$ Exemple : $6^0 = 1$

$(1\,000\,000)^0 = 1$

$(-5)^0 = 1$

$a^{-n} = \frac{1}{a^n}$ Exemple : $3^{-2} = \frac{1}{3^2}$

$a^{\frac{1}{2}} = \sqrt[2]{a}$ Exemple : $4^{\frac{1}{2}} = \sqrt[2]{4}$

Voir aussi *puissance*.

Expression algébrique n. f.

Une **expression algébrique** est un ensemble de *variables* et de nombres liés les uns aux autres par des symboles d'opérations arithmétiques (+, —, x, ÷). Les expressions suivantes sont des expressions algébriques :

$3a^2 - 5ab + 7ac - 8$

$3x^2(5x + 7) - 2x(x^2 - 4)$

Expression fractionnaire n. f.

Une **expression fractionnaire** est une *expression algébrique* ou *numérique* se présentant sous la forme d'un *rapport* (*quotient*).

EXEMPLES :

$$\frac{3x + 4}{2} \qquad \frac{5 + 4}{2}$$

$$\frac{a + b}{c} \qquad \frac{7 + 3}{4}$$

$$\frac{x - 1}{x + 1}$$

Expression numérique n. f.

Une **expression numérique** est un ensemble de nombres reliés entre eux par des symboles d'opérations arithmétiques (+, —, x, ÷). Les expressions suivantes sont des expressions numériques :

$5 - 4 + 28 - 7 \times 2 + 3$

$5(3 - 7 + 8)$

$$\frac{2{,}5(3{,}1 + 5{,}7) - 4(1 - 5{,}4)}{3{,}5}$$

Extension n. f. → *ensemble* (p. 65).

Extrême n. m. → *proportion* (p. 138).

Face n. f. → *polyèdre* (p. 128).

Facteur n. m.

1. Les **facteurs** d'un *nombre* sont les éléments qui ont été multipliés pour obtenir ce nombre.

EXEMPLES :
4 et 6 sont les facteurs du nombre 24 car 4 x 6 = 24.
-4 et 9 sont les facteurs du nombre -36 car -4 x 9 = -36.

2. Un **facteur** est dit **premier** si ce facteur est un *nombre premier*.

   EXEMPLE :
   Dans 2 x 3 x 3 x 5 = 90, les nombres 2, 3 et 5 sont les facteurs premiers de 90 et 2 x 3 x 3 x 5 est la décomposition en facteurs premiers de 90.

Factorielle n. f.

Une **factorielle** est le *produit* de tous les entiers positifs inférieurs ou égaux à un nombre donné. La **factorielle** de *n* se note $n!$

EXEMPLE :
$5! = 5 \times 4 \times 3 \times 2 \times 1 = 120$

Factoriser v. → *développer* (p. 47).

Fahrenheit → *degré* (p. 44).

Fermé adj.

1. Une figure **fermée** est une figure qui contient sa frontière.
   → *frontière* (p. 81).

2. Une ligne courbe est **fermée** si les deux extrémités de cette ligne se confondent.
   EXEMPLE :

3. Un ensemble E est dit **fermé** pour une opération quelconque (•) définie dans E si et seulement si, quels que soient les *éléments* x et y de E, le résultat de $x \bullet y$ est lui aussi élément de E.

   Cette propriété d'un ensemble se nomme la **fermeture** d'un ensemble pour une opération.

   EXEMPLES :
   L'ensemble des *nombres naturels* ($\mathbb{N}$) est fermé pour l'addition et la multiplication parce que, quels que soient les nombres naturels qu'on additionne ou qu'on multiplie, la somme ou le produit est aussi un nombre naturel.
   Notation
   soit $x \in \mathbb{N}$ et $y \in \mathbb{N}$
   $\forall$ (se lit « pour tout ») $x, y \in \mathbb{N}$)
   $(x + y) \in \mathbb{N}$ et $(xy) \in \mathbb{N}$

   L'ensemble $\mathbb{N}$ n'est pas fermé pour la soustraction et la division parce que :
   soit $x \in$ et $y \in \mathbb{N}$
   $\exists$ (se lit « il existe ») $x, y \in \mathbb{N}$, tels que :
   $(x - y) \notin \mathbb{N}$ et $(x \div y) \notin \mathbb{N}$

4. Un **intervalle** est dit **fermé** lorsqu'il comprend ses deux extrémités.

5. Un **réseau** est dit **fermé** lorsqu'il ne comprend aucun **noeud terminal**.

Figure géométrique n. f.

Une **figure géométrique** est un dessin servant à représenter diverses notions mathématiques. Une figure géométrique peut avoir 0, 1, 2 ou 3 *dimensions*.

EXEMPLES :

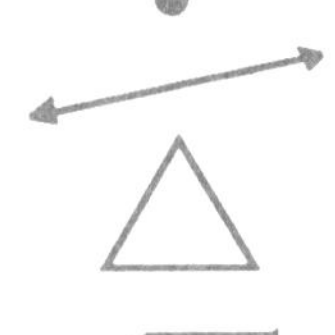

. Le *point* est une figure géométrique sans dimension.
. La *droite* est une figure géométrique à 1 dimension.
. Le *triangle* est une figure géométrique à 2 dimensions.
. Le *cube* est une figure géométrique à 3 dimensions.

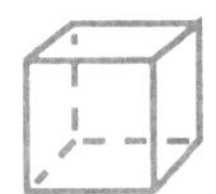

Deux **figures** géométriques sont dites **congruentes** si l'on peut les superposer par un déplacement.

Ces **figures** ont leurs côtés et leurs angles *correspondants* d'égale mesure.

Deux **figures** géométriques sont dites **semblables** si leurs angles correspondants sont *congrus* et si leurs côtés correspondants sont *proportionnels.*

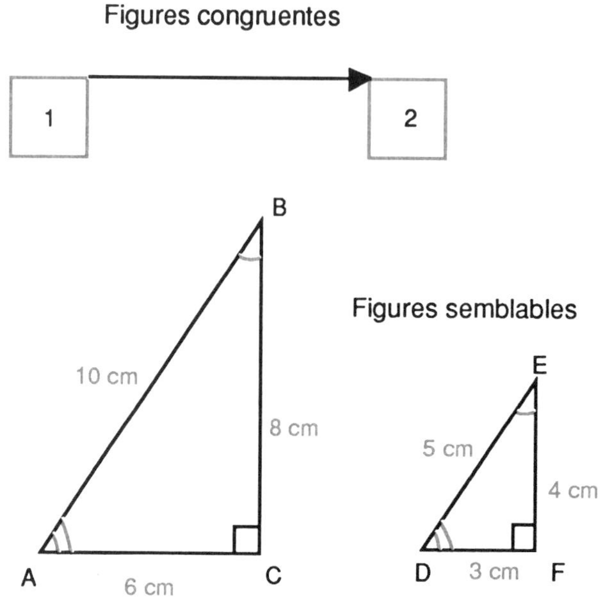

Ces deux triangles sont semblables, car les angles correspondants sont congrus deux à deux et les côtés correspondants ont le même rapport $(\frac{1}{2})$.

Deux figures géométriques sont dites **des figures équivalentes** si leurs aires sont égales, quelles que soient leurs formes.

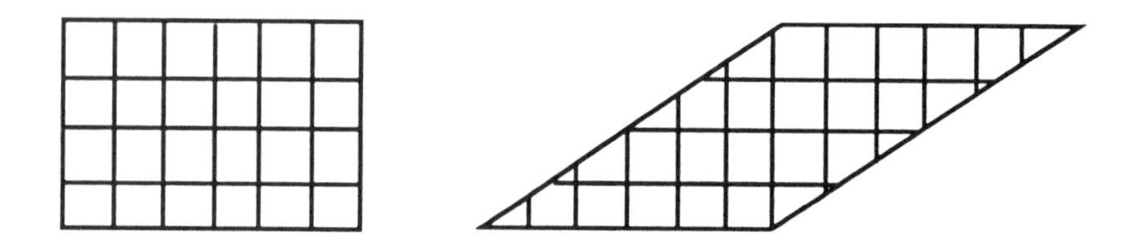

Ces deux figures sont équivalentes car elles ont la même aire.

Figure initiale n. f.

Une **figure initiale** est une *figure géométrique* sur laquelle on applique une *transformation géométrique.*

Voir aussi *transformation géométrique.*

Figure symétrique n. f. → *symétrie* (p. 166).

Fini adj. → *ensemble* (p. 66) et *infini* (p. 90).

Forme propositionnelle * n. f.

Une **forme propositionnelle** est un énoncé mathématique comportant une ou plusieurs *variables*. Si l'on donne des valeurs à ces variables, l'énoncé mathématique devient une *proposition* qui peut être vraie ou fausse.

EXEMPLES :
3 + n = 10 est une forme propositionnelle.
3 + 5 = 10; si n = 5, la proposition est fausse.
3 + 7 = 10; si n = 7, la proposition est vraie.

Formule n. f.

Formules d'aire : voir *carré, rectangle, disque...*
Formules de volume : voir *cube, parallélépipède, cylindre...*

Fraction n. f.

Une **fraction** est un rapport entre deux nombres.

EXEMPLE :

$\frac{3}{4}$ 3 → numérateur, 4 → dénominateur

Le **dénominateur** exprime le nombre de parts égales faites (4 dans l'exemple qui précède).

Le **numérateur** exprime le nombre de parts prises (3 dans l'exemple qui précède).

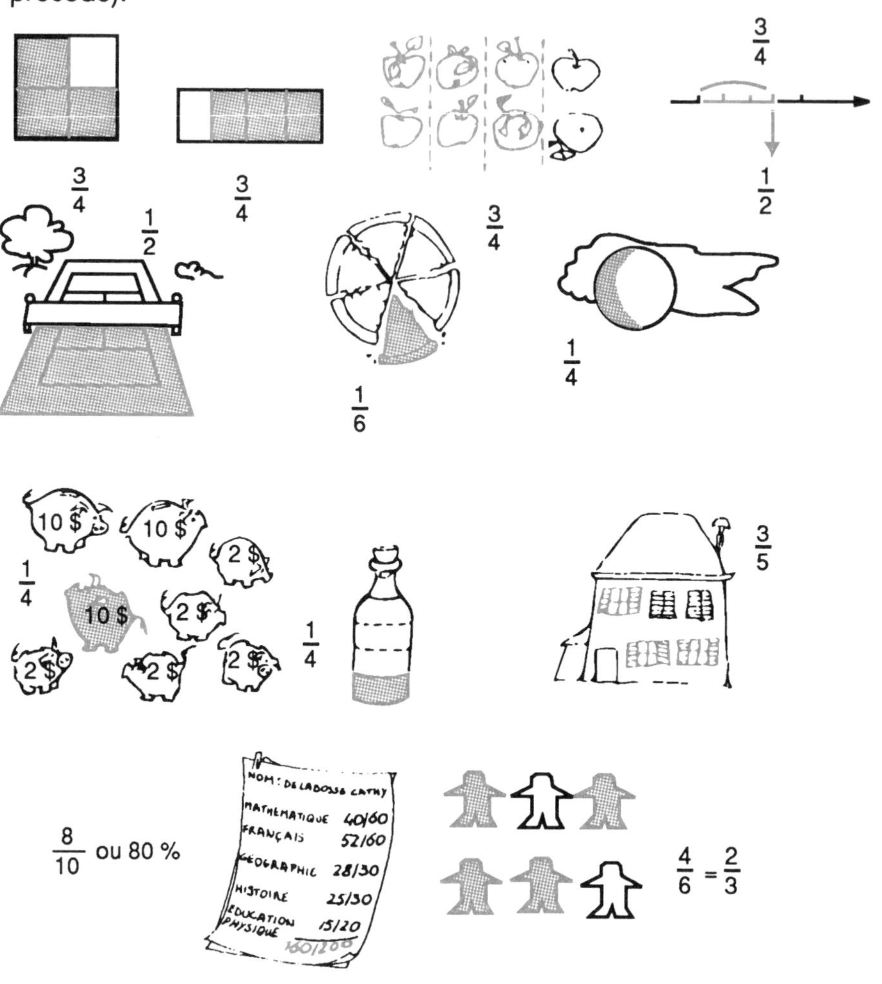

Représentation graphique de quelques fractions :

$\frac{1}{10}$	$\frac{1}{10}$	$\frac{1}{10}$	$\frac{1}{10}$	$\frac{1}{10}$	$\frac{5}{10} = \frac{1}{2}$

1

$\frac{1}{2}$	$\frac{1}{2} = \frac{2}{4}$

$\frac{1}{4}$	$\frac{3}{4}$

$\frac{1}{8}$	$\frac{3}{8}$	$\frac{4}{8} = \frac{2}{4} = \frac{1}{2}$

Une fraction est toujours le résultat d'une division.

Par exemple, $2 \div 5 = \frac{2}{5} = 0{,}4$.

FRACTIONS ÉQUIVALENTES

Des **fractions équivalentes** sont des fractions qui représentent le même nombre.

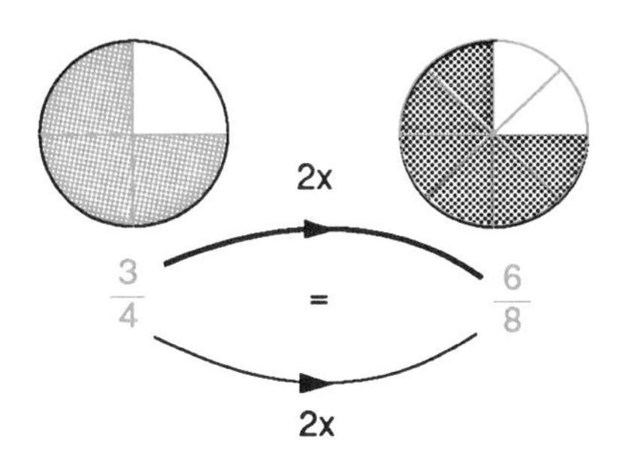

La fraction n'a pas changé puisqu'on a doublé à la fois le nombre de parts faites (la grandeur de la part a diminué de moitié) et le nombre de parts prises.

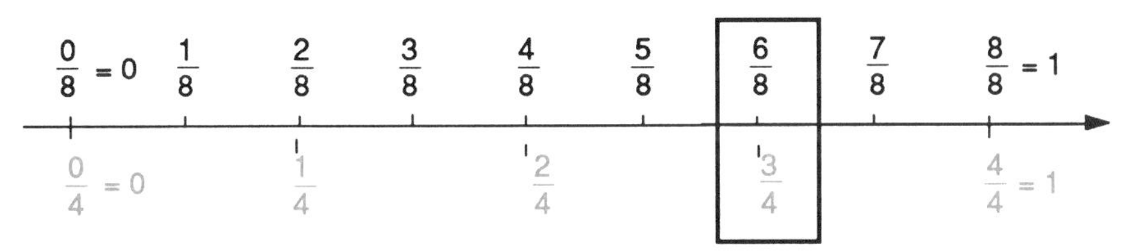

Remarques :

1) $5 = \frac{5}{1}$

2) On ne peut jamais avoir une fraction dont le dénominateur est zéro.

Voir aussi *simplifier*.

FRACTION IRRÉDUCTIBLE

Une **fraction** est **irréductible** si l'on ne peut plus la simplifier. Par exemple

$\frac{1}{4}$ et $\frac{8}{25}$ sont des fractions irréductibles, tandis que $\frac{4}{8}$ ne l'est pas.

Toutes les fractions équivalentes représentent le même nombre. En général, on écrit ce nombre sous la forme d'une fraction irréductible.

On peut donc dire qu'une fraction irréductible est le **représentant** de l'ensemble des fractions équivalentes.

Voir aussi *simplifier*.

COMPARAISON DE FRACTIONS

1. De deux fractions de même dénominateur, la plus grande est celle qui a le plus grand numérateur.

   EXEMPLE : $\frac{4}{11} > \frac{3}{11}$

2. De deux fractions de même numérateur, la plus grande est celle qui a le plus petit dénominateur, puisqu'on prend autant de parts plus grandes.

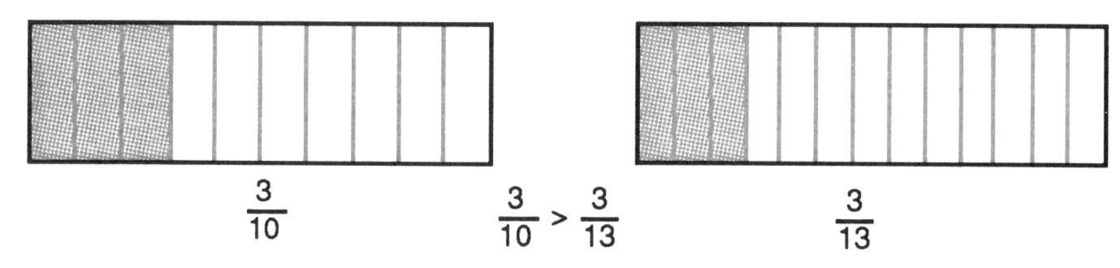

3. Dans les autres cas, le plus simple est de rechercher un dénominateur commun aux deux fractions.

   EXEMPLE :

   Comparaison de $\frac{2}{5}$ et $\frac{3}{8}$.

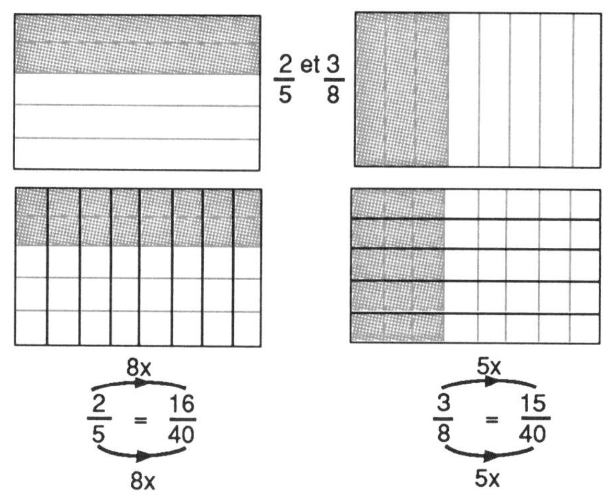

$\frac{16}{40} > \frac{15}{40}$, donc $\frac{2}{5} > \frac{3}{8}$

Le plus petit dénominateur commun est le *p.p.c.m.* des dénominateurs.

ADDITION ET SOUSTRACTION DE FRACTIONS

1. Si les fractions ont même dénominateur, on additionne (ou l'on soustrait) les numérateurs en gardant le dénominateur.

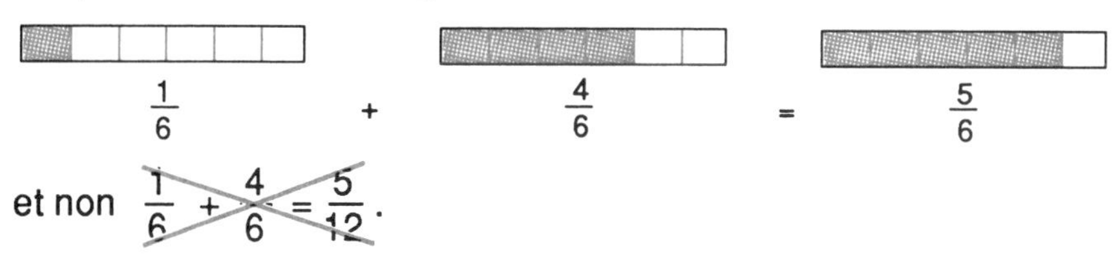

$\frac{1}{6} + \frac{4}{6} = \frac{5}{6}$

et non ~~$\frac{1}{6} + \frac{4}{6} = \frac{5}{12}$~~.

2. Si les fractions n'ont pas même dénominateur, il faut rechercher un *dénominateur commun.*

$$\frac{2}{3} + \frac{1}{4} = \frac{8}{12} + \frac{3}{12} = \frac{11}{12}$$

Le plus petit dénominateur commun est le *p.p.c.m.*

En règle générale, on procède en 4 étapes pour additionner des fractions :

1° On simplifie au maximum chaque fraction.

2° On réduit au même dénominateur les fractions simplifiées (voir *dénominateur commun*).

3° On écrit la fraction qui a pour numérateur la somme des numérateurs et pour dénominateur le dénominateur commun.

4° On simplifie, si possible, la fraction ainsi trouvée.

MULTIPLICATION DE FRACTIONS

1. Pour multiplier une fraction par un entier, on multiplie uniquement le numérateur de la fraction par ce nombre.

3 x ▓▓□□□□□ = ▓▓▓▓▓▓□

$3 \times \frac{2}{7} = \frac{6}{7}$

Quand c'est possible, on peut diviser le dénominateur par ce nombre.

$$3 \times \frac{2}{15} = \frac{2}{15 \div 3} = \frac{2}{5}$$

(On a encore 2 parts, mais 3 fois plus grandes.)

2. Pour multiplier une fraction par une fraction, on multiplie entre eux les numérateurs ainsi que les dénominateurs, et on simplifie le résultat quand c'est possible.

$$\frac{2}{3} \times \frac{5}{14} = \frac{2 \times 5}{3 \times 14} = \frac{10}{42} = \frac{5}{21}$$

DIVISION DE FRACTIONS

1. Pour diviser une fraction par un nombre entier non nul, on multiplie la fraction par l'inverse de ce nombre entier.

$$\frac{2}{3} \div 5 = \frac{2}{3} \times \frac{1}{5} = \frac{2}{3 \times 5} = \frac{2}{15}$$

(On a toujours 2 parts, mais 5 fois plus petites.)

Quand c'est possible, on peut diviser le numérateur par ce nombre.

$$\frac{8}{15 \times 2} = \frac{8 \div 2}{15} = \frac{4}{15}$$

(On a deux fois moins de parts identiques.)

2. Pour diviser une fraction par une fraction, on multiplie la première fraction par la fraction *inverse* de la seconde.

$$\frac{2}{3} \div \frac{5}{7} = \frac{2}{3} \times \frac{7}{5} = \frac{14}{15} \qquad 2 \div \frac{5}{7} = 2 \times \frac{7}{5} = \frac{14}{5}$$

PUISSANCE D'UNE FRACTION

$$\left(\frac{3}{5}\right)^2 = \frac{3^2}{5^2} = \frac{9}{25}$$

Fréquence n. f.

La **fréquence** est l'expression du nombre d'observations d'un type donné d'évènement. Elle s'exprime en nombre ou plus souvent en *pourcentage*.

Frise n. f.

Une bande sur laquelle un motif se répète régulièrement et en suivant un certain ordre est appelée une **frise**.

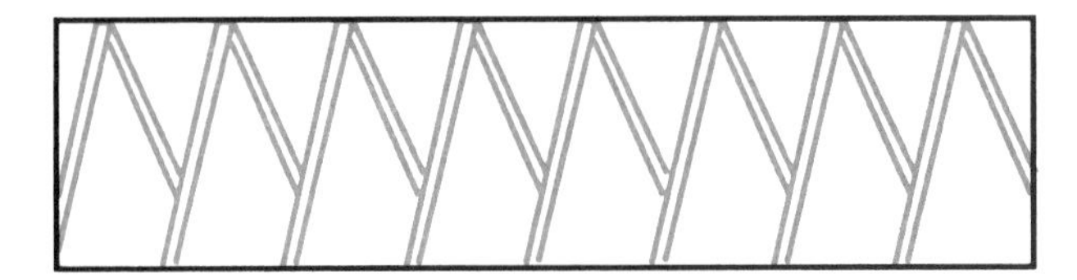

Frontière n. f.

La **frontière**, encore appelée **contour** ou **bord**, d'une figure est ce qui en constitue la limite.

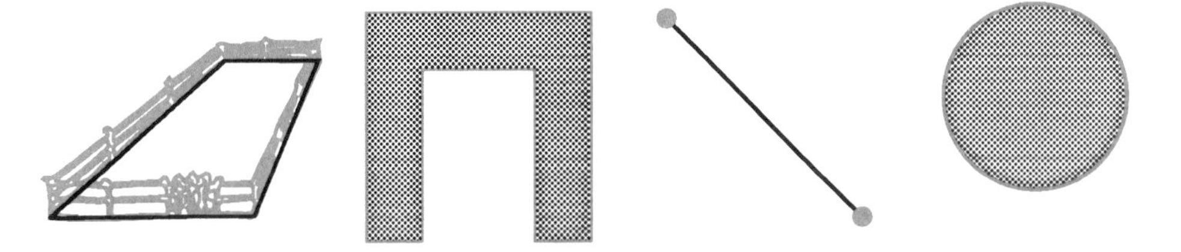

Une figure **fermée** est une figure qui contient sa frontière.
Une figure **ouverte** est une figure qui ne contient aucun point de sa frontière.

Voir aussi *ligne* et *surface*.

Gain n. m. → *bénéfice* (p. 20).

Génératrice * n. f.

Une **génératrice** est une ligne droite qui engendre une *surface* quand on la déplace en suivant une ligne fermée nommée **directrice**.

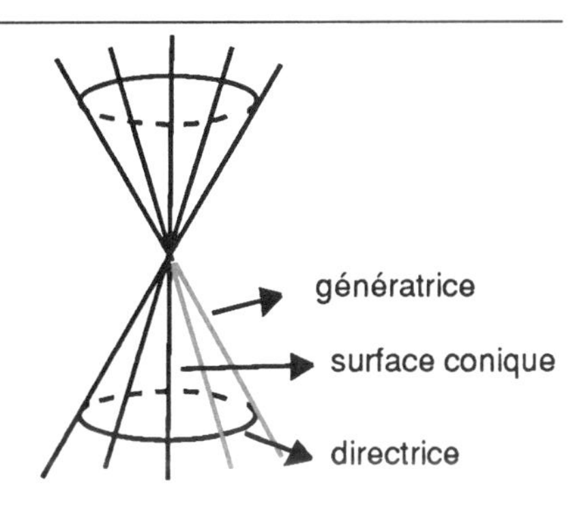

Géométrique adj. → *progression* (p. 138).

Gramme n. m. → *masse* (p. 99).

Grandeur n. f.

Une **grandeur** est une propriété que l'on peut mesurer.

EXEMPLES :

La hauteur d'une porte, le prix d'un vélo, la masse d'un pain.

Graphe n. m.

1. Un **graphe** est un *réseau.*

2. Le **graphe** d'une relation est l'ensemble des couples d'une *relation.* Il ne faut pas confondre **graphe** et **graphique** : le graphe est l'ensemble des couples d'une relation, tandis que le graphique en est la représentation visuelle.

Voir aussi *graphique* et *réseau.*

Graphique n. m.

Un **graphique** est un dessin qui peut illustrer : la variation d'une grandeur mesurable, une relation entre deux ou plusieurs ensembles, un *algorithme*, un programme d'informatique, etc.

Hauteur n. f.

La **hauteur** d'une figure est la distance entre deux de ses *bases*, ou entre son sommet et sa base, toujours prise perpendiculairement à la base.

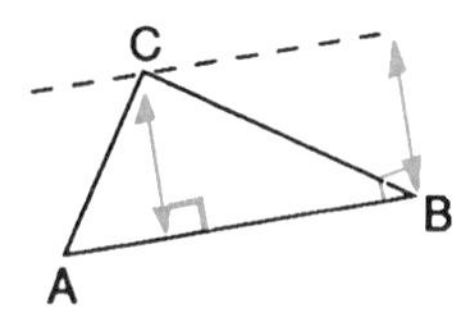

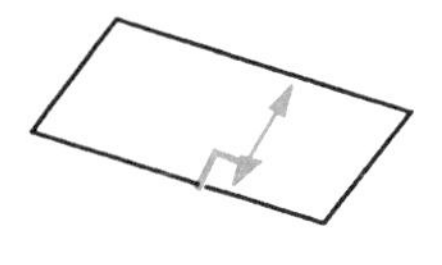

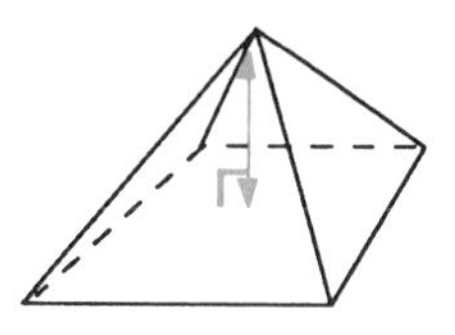

Hauteur du triangle (si la base choisie est le segment AB)

Hauteur du parallélogramme

Hauteur de la pyramide

La **hauteur** d'un triangle est aussi la droite perpendiculaire à la *base* et passant par le sommet opposé.

Hectare n. m.

1 ha = 10 000 m^2 → *aire* (p. 6).

Hectolitre n. m.

1 hl = 100 l → *capacité* (p. 23).

Heptagone n. m.

Polygone à 7 côtés → *polygone* (p. 129).

Heure n. f.

Une **heure**, c'est la vingt-quatrième partie d'une journée. Dans une heure, on compte 60 *minutes*. Dans le *Système international d'unités de mesure* (S. I.), le symbole h signifie « heure » et le symbole d (du latin **dies**) signifie « jour ».

1 d = 24 h
1 h = 60 m (minutes)

Voir aussi *S.I.*

Hexaèdre n. m.

Un **hexaèdre** est un *polyèdre* à 6 *faces*. Par exemple, un *cube* est un hexaèdre régulier.

Hexagone n. m.

Un **hexagone** est un *polygone* à 6 côtés. → *polygone* (p. 129)

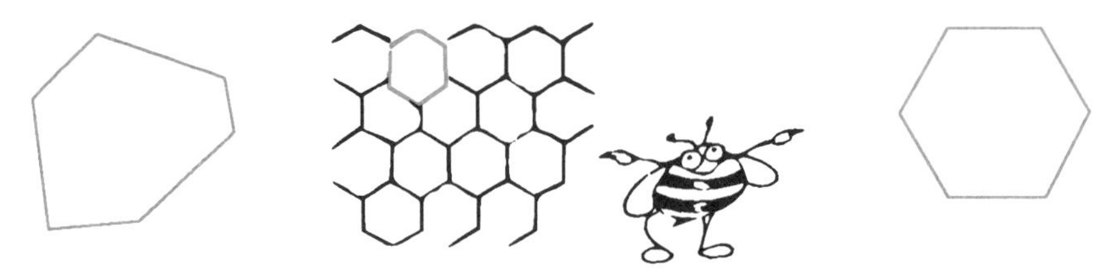

Hexagones réguliers

Tout rayon du cercle *circonscrit* à l'hexagone régulier a même longueur que le côté de l'hexagone. Pour construire un hexagone régulier, il suffit donc de reporter successivement sur le cercle 6 arcs de cercle avec une ouverture de compas égale au rayon.

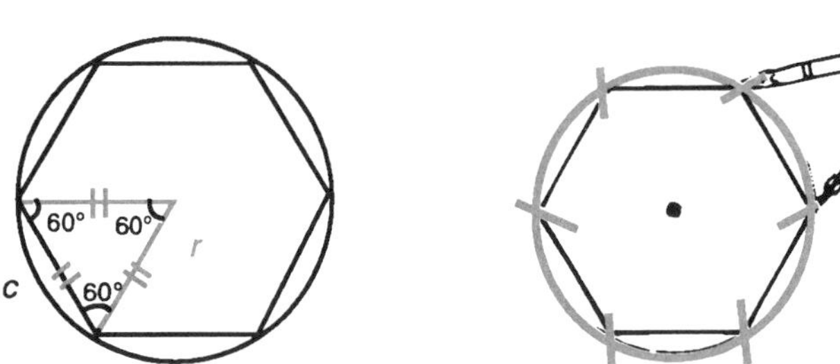

Histogramme n. m.

Un **histogramme** est un *diagramme à bandes* représentant la **fréquence** de chaque groupe de valeurs formant un ensemble de valeurs continu. Dans un histogramme, les bandes sont par conséquent collées les unes aux autres.

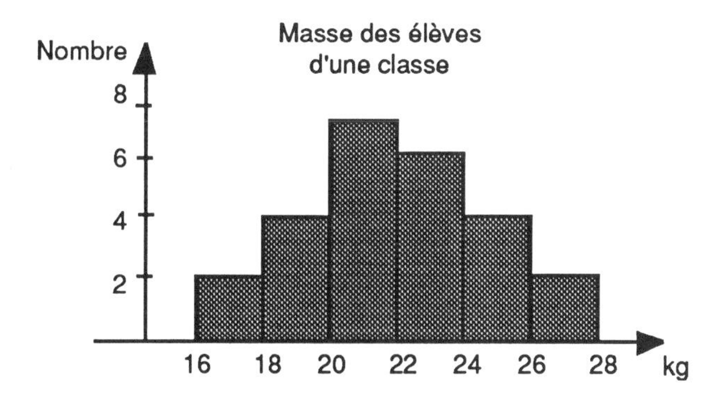

Homologue adj.

Des éléments sont dits **homologues** s'ils correspondent l'un à l'autre dans des figures *congruentes* ou dans des figures *semblables*.

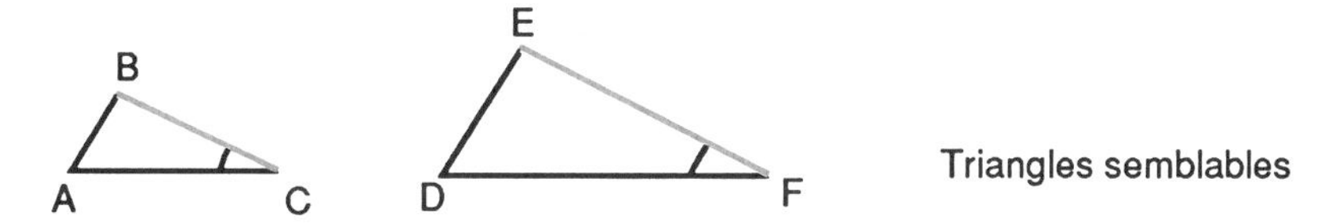

Triangles semblables

$\overline{BC}$ et $\overline{EF}$ sont deux côtés homologues.
Les angles C et F sont homologues.

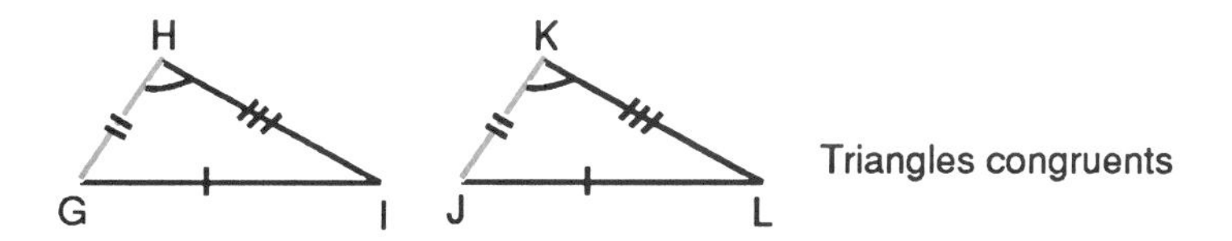

Triangles congruents

$\overline{GH}$ et $\overline{JK}$ sont deux côtés homologues.
Les angles H et K sont homologues.

Le mot **correspondant** est synonyme de homologue.

Homothétie * n. f.

Une **homothétie** est une *transformation géométrique* qui agrandit ou réduit une figure dans les mêmes proportions (le même rapport) à partir d'un point appelé **centre d'homothétie**. On dit que la figure et son image sont *semblables*.

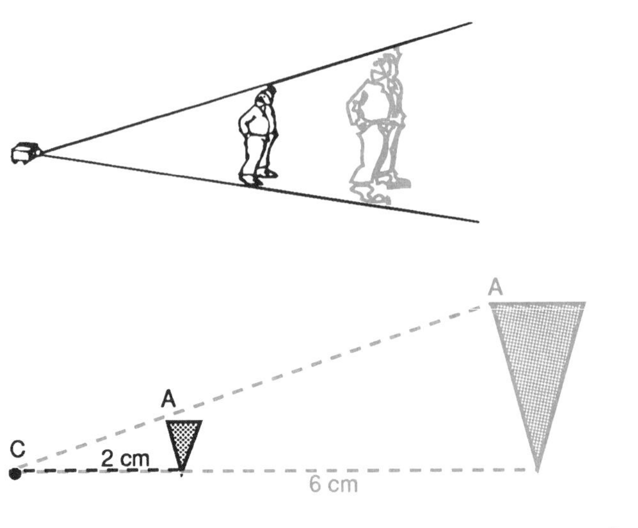

Homothétie de centre C et de rapport $k = e \left(\frac{6\text{ cm}}{2\text{ cm}}\right)$

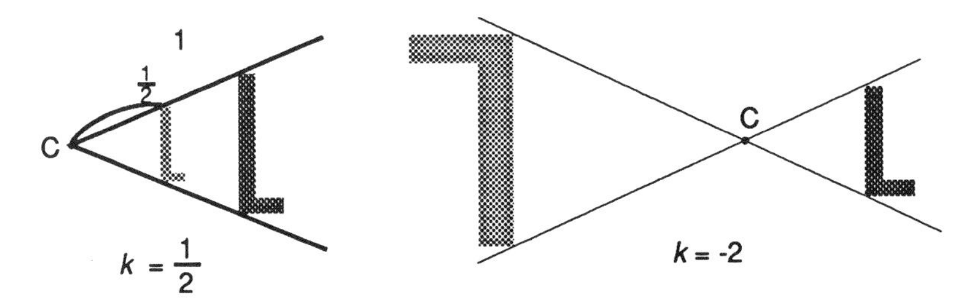

Le rapport *k* de l'homothétie peut être associé à un rapport d'*échelle*.

Hypoténuse n. f.

L'**hypoténuse** d'un *triangle rectangle* est son plus grand côté. C'est le côté opposé à l'angle droit.

La relation de **Pythagore** énonce que la somme des carrés des longueurs des deux côtés de l'angle droit égale le carré de la longueur de l'hypoténuse :

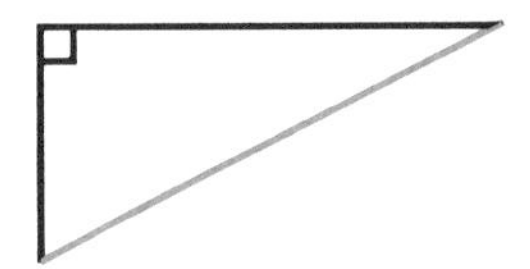

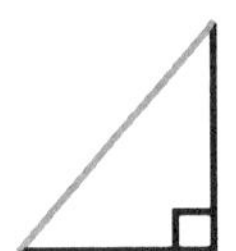

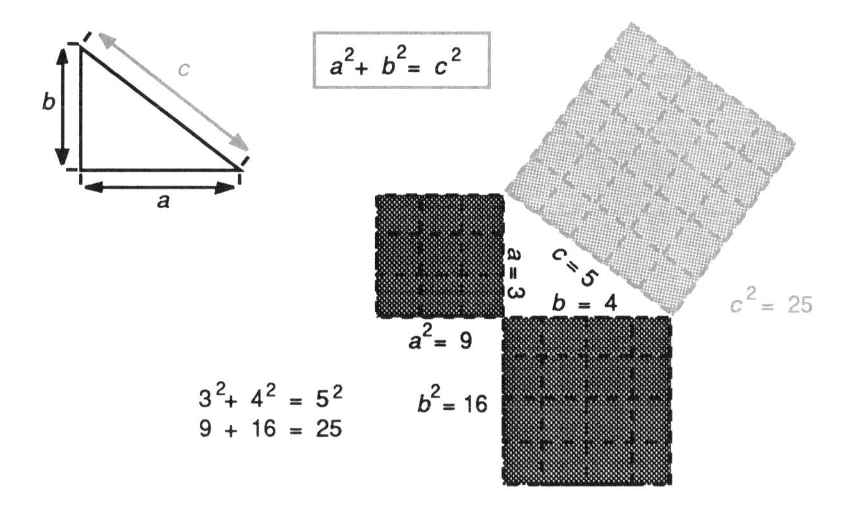

Hypothèse n. f.

1. Une **hypothèse** est un énoncé que l'on tente de démontrer.

   EXEMPLE :
   « L'addition est commutative dans $\mathbb{N}$ » est une hypothèse que l'on peut vérifier par une démonstration mathématique.

2. On emploie également le mot **hypothèse** pour désigner un ensemble de faits que l'on utilisera dans la démonstration d'un fait différent.

   EXEMPLE :
   Soit les deux triangles ABC et DEF.

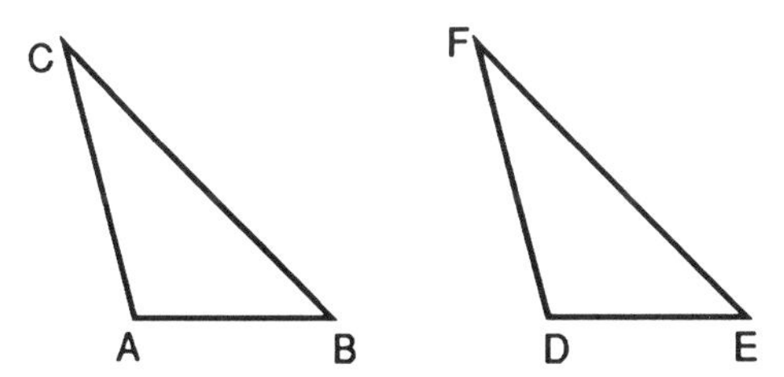

Prenons comme hypothèse que $m \angle A = m \angle D$;

$m \angle B = m \angle E$ et que $m \overline{AB} = m \overline{DE}$.

On peut alors démontrer que les triangles ABC et DEF sont congruents.

Icosaèdre n. m.

Polyèdre à 20 faces. → *polyèdre* (p. 128).

Identique adj. → *isométrie* (p. 94).

Illimité adj.

Une figure **illimitée** est une figure qui n'est pas partout limitée par une frontière : l'*angle*, la *droite*, la *demi-droite*, sont des figures illimitées.

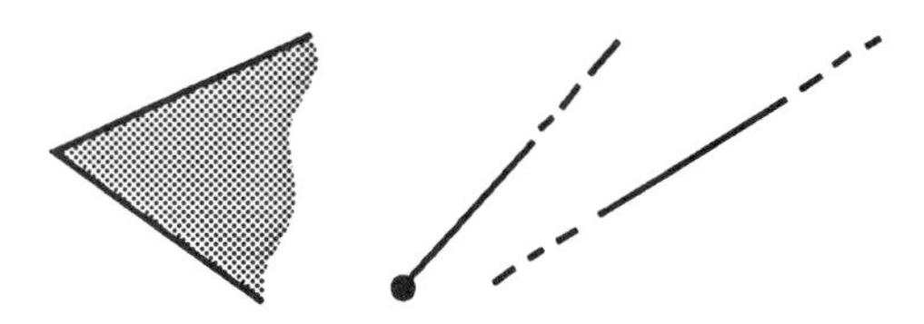

Par contre, le *segment*, le *carré*, le *rectangle*, le *disque*, etc., sont des figures limitées.

Il ne faut pas confondre *illimité* et *infini* : un segment est limité (il a des limites), mais il est constitué d'un nombre infini de points. Il en va de même pour toutes les surfaces limitées.

Image n. f.

L'**image** d'un objet par une *transformation géométrique*, c'est ce en quoi est transformé l'objet après l'application de cette transformation.

EXEMPLE :

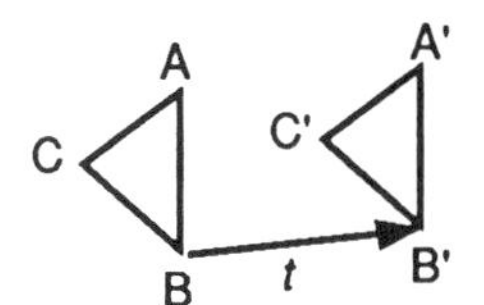

Le triangle A' B' C' est l'image du triangle ABC par la translation t.

Impair adj. → *nombre impair* (p. 111).

Inclusion n. f.

Une *ensemble* A est **inclus** dans un ensemble E si tout élément de A appartient aussi à E.

EXEMPLE :

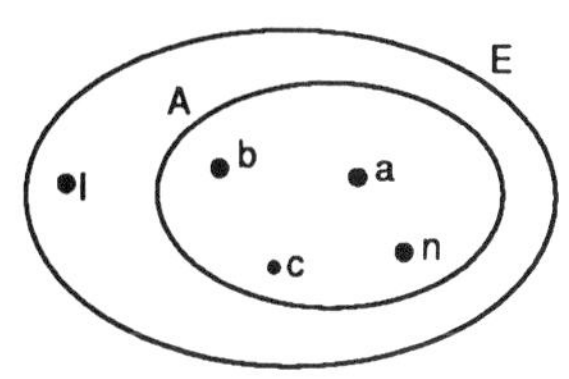

L'ensemble A des lettres du mot « banc » est inclus dans l'ensemble E des lettres du mot «blanc ». On écrit $A \subset E$ (A est inclus dans E).

On dit que A est un **sous-ensemble** de E, ou encore une **partie** de E. L'ensemble B = { l, a, c } est une autre partie de E.

On emploie la notation $A \subset E$
si et seulement si # E > # A. La notation « $\subseteq$ » peut être utilisée
si $A \subset E$ ou $A = E$.

Inconnue n. f.

Dans une *équation*, une **inconnue** est un nombre ou une grandeur dont on ne connaît pas la valeur et qu'on représente par une lettre : *x, y, z*, etc.

EXEMPLES :
$5x + 3 = 23$ est une équation à une inconnue : x.
$3y^2 + 5z = 32$ est une équation à deux inconnues : y et z.

Parfois, les renseignements sont suffisants pour déterminer exactement la valeur de l'inconnue, comme dans la première équation : $x = 4$. Dans la seconde équation, les inconnues peuvent prendre plusieurs valeurs (par exemple, $y = 3$ et $z = 1$, ou bien $y = 2$ et $z = 4$).

Aujourd'hui, on emploie davantage le terme *variable* plutôt que le terme **inconnue**.

Voir aussi *variable*.

Inégalité n. f.

Une **inégalité** est une relation d'*ordre* entre des nombres ou des grandeurs. Les symboles d'inégalité utilisés sont :

$<$ (inférieur à);
$\leq$ (inférieur ou égal à);
$>$ (supérieur à);
$\geq$ (supérieur ou égal à);
$\neq$ (différent de).

EXEMPLES :
$4 > 2$ (se lit « quatre est supérieur à 2 »).
$\frac{1}{3} < \frac{1}{2}$ (se lit « un tiers est inférieur à une demie »).

Inéquation n. f.

Une **inéquation** est un énoncé mathématique contenant une ou plusieurs *variables* ainsi qu'une relation d'*inégalité*.

EXEMPLES :
$3x - 2 > 14$
$7 - 5 \leq y$

Infini adj.

Infini signifie « tellement grand qu'il existe toujours un nouvel élément que l'on n'a pas encore répertorié ». Cette notion dépasse notre imagination. Par exemple, elle s'étend encore au-delà de l'ensemble des étoiles ou des grains de sable sur la Terre.

En mathématique, on rencontre souvent cette notion d'infini.

EXEMPLES :

- Les multiples de 5 sont en nombre infini : le plus grand multiple de 5 n'existe pas.
- Les points qui constituent un *segment* ou un carré sont en nombre infini : entre deux points, aussi rapprochés soient-ils, on peut toujours en intercaler au moins un autre.
- L'ensemble des *nombres naturels* est un ensemble infini : il y en a toujours un qui suit celui qu'on croit être le dernier.

Voir aussi *illimité*.

Inscrit * adj.

Une figure est **inscrite** dans une autre si tous les sommets de la première appartiennent à la frontière de la deuxième. Se dit aussi d'un cercle situé à l'intérieur d'un polygone et qui touche à tous les côtés de ce polygone.

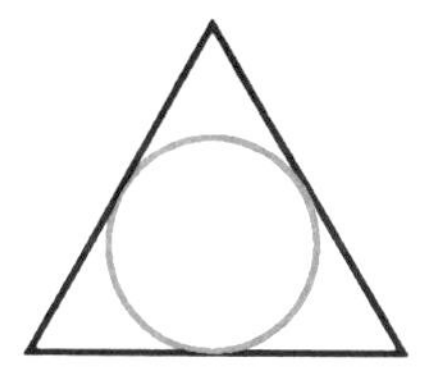

Cercle inscrit dans un triangle

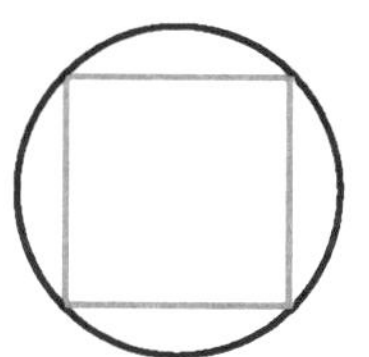

Carré inscrit dans un cercle

Intérêt n. m.

Quand on dépose une somme d'argent en banque, elle produit un revenu appelé **intérêt**.

Quand on emprunte une somme d'argent pendant un certain temps, il faut rembourser, en plus de cette somme, un **intérêt** en échange du service rendu.

L'intérêt I varie avec :

- la *durée* T du placement ou de l'emprunt;
- le **capital** C (la somme placée ou empruntée);
- le **taux** t du placement ou de l'emprunt (l'intérêt sur 100 $ pendant 1 an).

$$I = \frac{C \times T \times t}{100}$$

EXEMPLE :

Capital C = 20 000 $

Durée T = 6 mois = $\frac{1}{2}$ an

Taux t = 14 (%)

$$I = \frac{20\,000\ \$ \times \frac{1}{2} \times 14}{100} = 1\,400\ \$$$

Intersection n. f.

L'**intersection** de deux *ensembles* A et B est l'ensemble des éléments qui appartiennent à la fois à A et à B. On la note $A \cap B$ (A inter B).

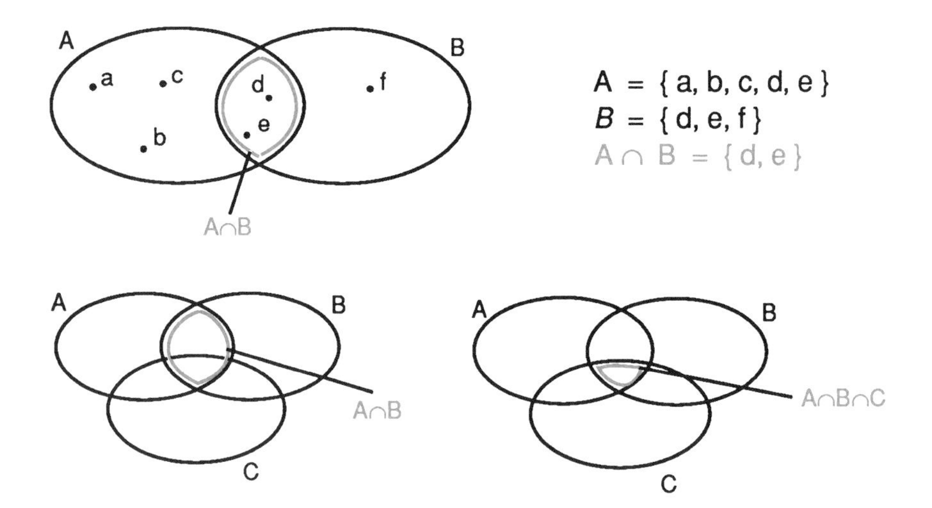

Des ensembles **disjoints** sont des ensembles dont l'intersection est vide. Par exemple, l'ensemble P des nombres pairs et l'ensemble { 1, 3, 9 } des diviseurs de 9 sont des ensembles disjoints.

Voir aussi *diagramme de Venn*.

Intervalle n. m.

Un **intervalle ouvert** est une partie de droite limitée aux deux extrémités, mais qui ne comprend pas les deux extrémités.

Parfois, on dit « **segment ouvert** ». On le note]*a*, *b*[.

Par contre, un **intervalle fermé** comprend, lui, les deux extrémités; c'est un *segment*. On le note [a, b].

Inverse adj. et n. m.

Des nombres sont **inverses** si leur produit est 1.

EXEMPLES :

- L'inverse de 3 est $\frac{1}{3}$ car $3 \times \frac{1}{3} = 1$.
- L'inverse de 2 est 0,5 car $2 \times 0{,}5 = 1$.
- L'inverse de $\frac{4}{9}$ est $\frac{9}{4}$ car $\frac{4}{9} \times \frac{9}{4} = 1$.

Remarque : 0 n'a pas d'inverse!

Irrationnel * adj. → *nombre irrationnel* (p. 111).

Irrégulier adj. → *polygone* (p. 129).

Isocèle adj. → *trapèze* (p. 174) et *triangle* (p. 175).

Isométrie * n. f.

Une **isométrie** et une *transformation géométrique* qui conserve les mesures. Les *translations*, les *rotations*, les *symétries* sont des isométries, mais les *homothéties* (de rapport $k \neq 1$ et $k \neq -1$) ne sont pas des isométries.

La **transformation identique** est une isométrie qui transforme chaque point en lui-même. Exemple : une *rotation* d'angle nul (multiple de 360°).

Isométrique * adj.

Isométrique signifie « qui a même mesure », ou « qui est une image par une isométrie ».

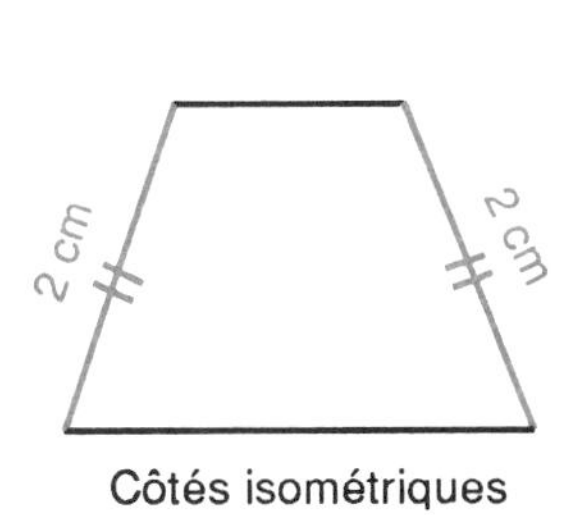

Côtés isométriques

70° 70°

Angles isométriques

Kilo - préfixe

Kilo signifie « mille » : un kilomètre = 1 000 mètres; 1 kg = 1 000 g.

Kilogramme n. m.

1 kg = 1 000 g → *masse* (p. 99).

Kilomètre n. m.

1 km = 1 000 m → *longueur* (p. 97).

Largeur n. f. → *rectangle* (p. 146) et *parallélépipède* (p. 120).

Latéral adj.

Dans un prisme, une pyramide, un cône, un cylindre, le terme **latéral** désigne tout ce qui est « autre que la base » : *arête* latérale, *face* latérale, *surface* latérale.

Lieu géométrique n. m.

Un **lieu géométrique** est l'ensemble de tous les points qui possèdent une caractéristique commune. Par exemple, la *bissectrice* d'un angle est un lieu géométrique, puisque c'est le lieu de tous les points équidistants des deux côtés de cet angle. De même, le *cercle* est un lieu géométrique puisque tous les points qui le composent sont équidistants d'un point central.

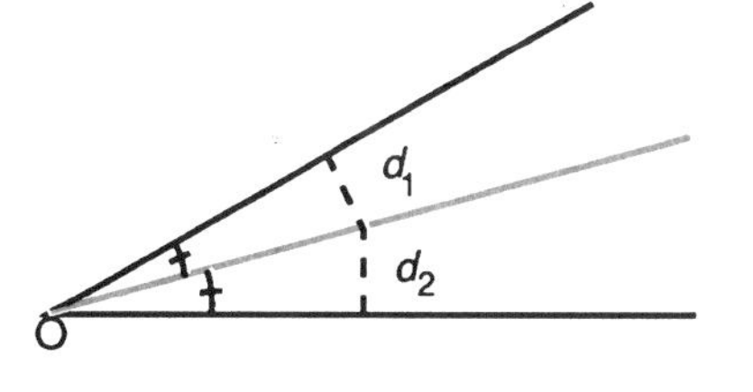

$m\ d_1 = m\ d_2$

r est une constante

Ligne n. f.

Une **ligne** est une figure à une *dimension* de l'espace.

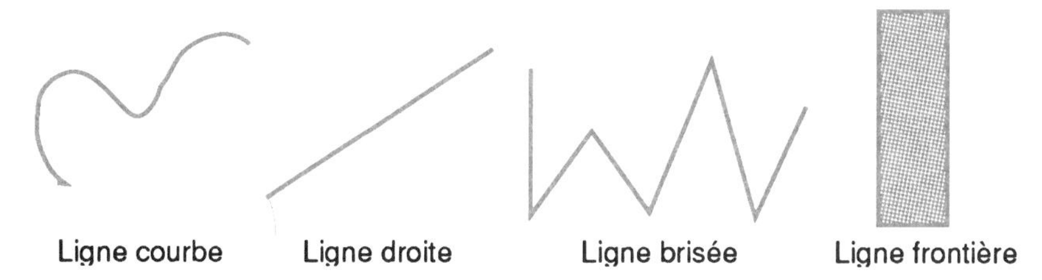

Ligne courbe — Ligne droite — Ligne brisée — Ligne frontière

Voir aussi *convexe* et *illimité*.

Linéaire adj. → *équation* (p. 67).

Litre n. m. → *capacité* (p. 23).

Longueur n. f.

La **longueur** est la grandeur d'une *ligne*, d'un *segment*.

C'est aussi la plus grande *dimension* d'un objet.

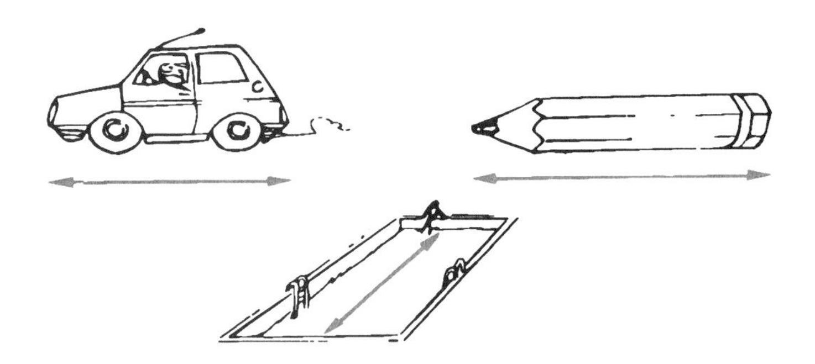

On peut :

1. Comparer la longueur de deux objets.

2. Mesurer la longueur d'un objet avec un étalon de mesure : la main (empan) ou un feutre.

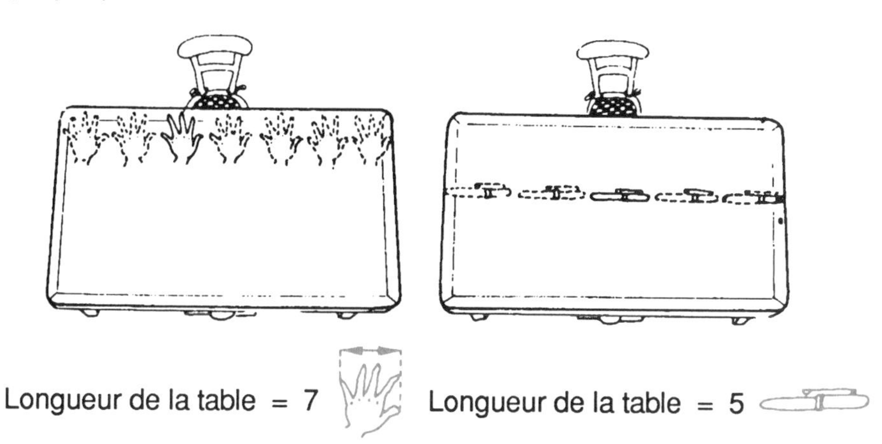

Longueur de la table = 7 (main) Longueur de la table = 5 (feutre)

3. Mesurer la longueur d'un objet à l'aide d'unités conventionnelles.

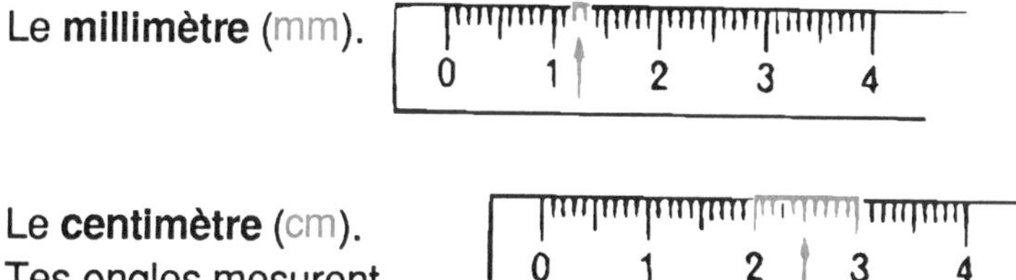

Le **millimètre** (mm).

Le **centimètre** (cm).
Tes ongles mesurent environ 1 cm.

Le **décimètre** (dm) 1 dm = 10 cm.

Le **mètre** (m) 1 m = 100 cm : la distance de tes pieds au nombril, ou encore un grand pas que tu fais.

Le **kilomètre** (km) 1 km = 1 000 m : pour faire 1 km, tu dois faire plus de mille pas.

4. Utiliser des formules pour calculer rapidement le *périmètre* de certaines figures.

EXEMPLES :

. Périmètre du carré = $4 \times c$.
. Périmètre du cercle = $2\pi r$.
. Périmètre du triangle équilatéral = $3 \times c$.

Losange n. m.

Un **losange** est un *quadrilatère* dont les côtés sont congrus.

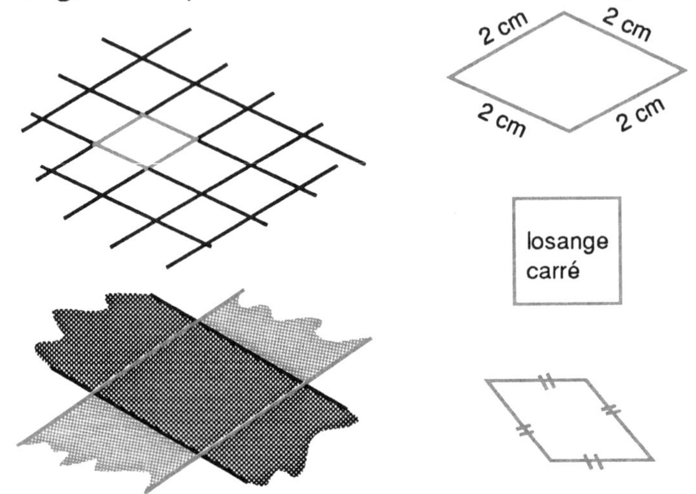

Les propriétés du losange sont les suivantes :

. toutes les propriétés du parallélogramme;
. ses médianes sont de même longueur;
. ses diagonales sont perpendiculaires;
. ses diagonales sont des axes de symétrie.

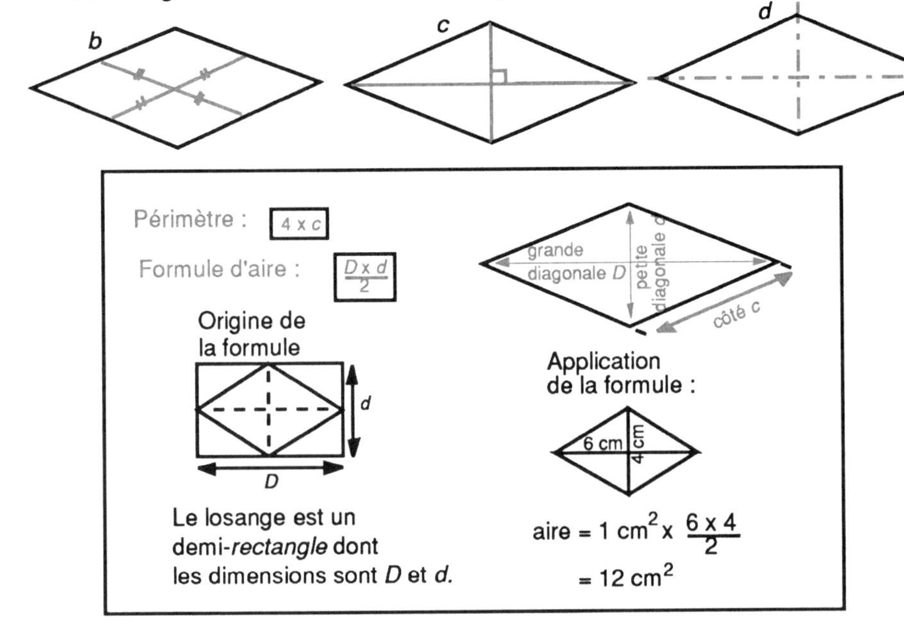

Voir aussi *parallélogramme*.

Masse n. f.

La **masse** d'un objet est sa propriété d'être plus ou moins lourd. La masse d'un objet ne dépend que de son volume et de la matière (des matières) dont l'objet est constitué. Par contre, le **poids** de cet objet, lui, dépend aussi du lieu où il se trouve (sur la Terre ou sur la Lune, au pôle ou à l'équateur ...) : le poids mesure la force avec laquelle l'objet est attiré.

On peut :

1. Comparer la masse de deux objets.

La pomme est plus lourde que le citron.

2. Mesurer la masse d'un objet en utilisant un objet-unité de référence et en cherchant le nombre d'objets-unités nécessaires pour équilibrer la balance.

La masse du citron est égale à la somme des masses de 7 billes.

3. Mesurer la masse d'un objet à l'aide d'unités conventionnelles.

Le **kilogramme** (kg) est la masse d'un litre (1 dm^3) d'eau pure.

Le **gramme** (g) 1 g = $\frac{1}{1\,000}$ kg.

C'est environ la masse d'un quart de carré de sucre. 

La **tonne** (t) 1 t = 1 000 kg
C'est environ ce que pèse une voiture.
C'est encore la masse de 1 000 litres d'eau.

Pour de l'eau, on peut établir une correspondance entre les unités de volume et les unités de masse. Ainsi :

. 1 cm^3 d'eau pèse 1 g;
. 1 dm^3 d'eau pèse 1 kg;
. 1 m^3 d'eau pèse 1 t.

MAIS : 1 dm^3 d'huile, de bois ou d'alcool pèse moins que 1 kg (toutes ces matières flottent sur l'eau);
1 dm^3 de sel, de sable ou de fer pèse plus que 1 kg (toutes ces matières s'enfoncent dans l'eau).

4. Utiliser une balance de ménage ou une balance digitale pour obtenir une mesure précise et rapide.

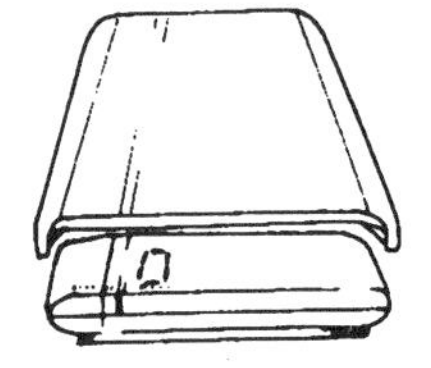

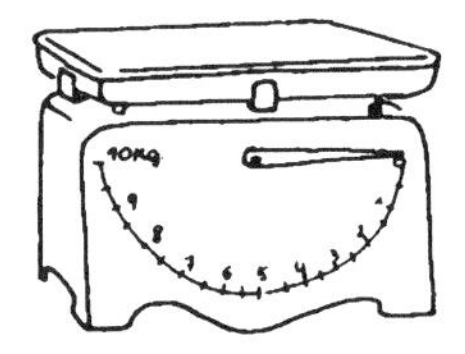

Médiane * n. f.

1. Les **médianes** d'un *quadrilatère* sont les droites qui joignent les milieux des côtés opposés.

   Par extension, ce sont les segments de ces droites limités au contour du quadrilatère.

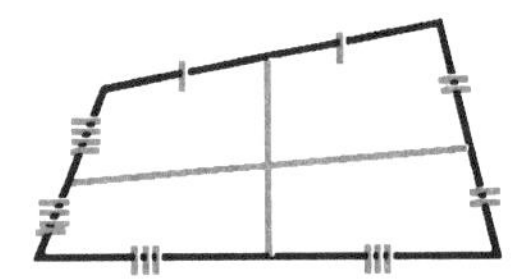

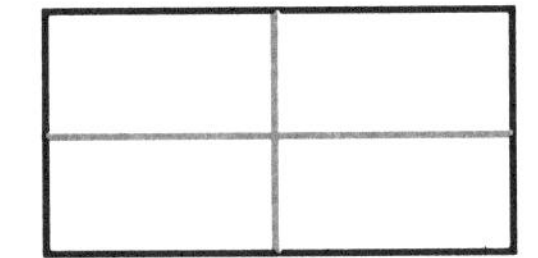

Les médianes d'un quadrilatère sont rarement de même longueur. Par contre, elles se coupent toujours en leur milieu.

Voir aussi *losange* et *rectangle*.

2. Une **médiane** d'un triangle est une droite qui joint un sommet au milieu du côté opposé. Tout triangle possède 3 médianes.

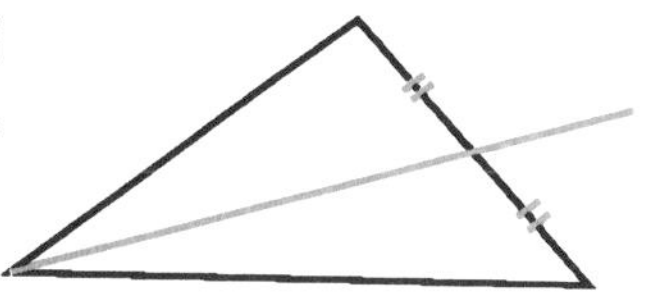

Médiatrice * n. f.

La **médiatrice** d'un **segment** de droite est la droite qui est perpendiculaire à ce segment et qui le coupe en son milieu. C'est l'axe de *symétrie* du segment de droite.

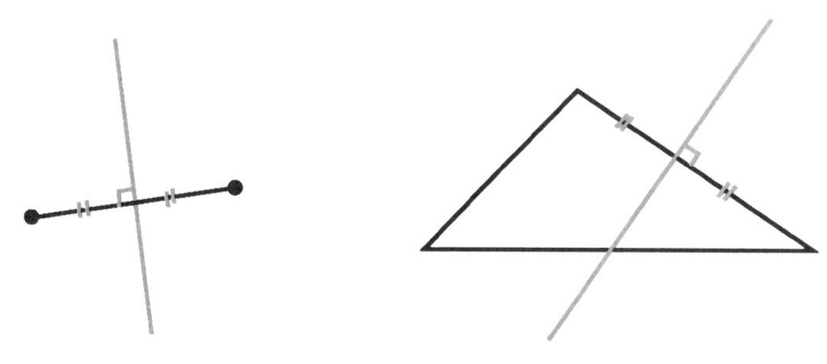

Chacun de ses points est à égale distance des extrémités du segment.

Mesure n. f.

Une **mesure** est l'évaluation d'une grandeur par rapport à une autre grandeur servant d'unité de référence. On peut mesurer une *longueur*, une *aire*, un *volume*, un *angle*, etc.

Voir aussi *capacité* et *masse*.

Mètre n. m. → *longueur* (p. 96).

Mètre carré n. m.

1 m^2 : *aire* d'un carré de 1 m de côté. → *aire* (p. 6).

Mètre cube n. m.

1 m^3 : *volume* d'un cube de 1 m d'*arête.* → *volume* (p. 180).

Milieu n. m.

Le **milieu** d'un *segment*, c'est le point du segment situé à égale distance des extrémités du segment.

a *m* *b* Il est unique et il appartient au segment.

Mille adj. numér. → *règles d'orthographe* (p. 149).

Milliard n. m.

Un **milliard** est équivalent à mille millions. C'est la dixième position à gauche de la *virgule de cadrage*. Un milliard peut aussi être défini comme étant la neuvième *puissance* de dix.

1 000 000 000 = 1 000 millions

1 000 000 000 = 10^9

Millième n. m.

$0{,}001 = \frac{1}{1\,000}$ → *nombre décimal* (p. 108).

Milligramme n. m.

$1 \text{ mg} = \frac{1}{1\,000} \text{ g}$ → *masse* (p. 99).

Millilitre n. m.

$1 \text{ ml} = \frac{1}{1\,000} \text{ l}$ → *capacité* (p. 23).

Millimètre n. m.

$1 \text{ mm} = \frac{1}{1\,000} \text{ m}$ → *longueur* (p. 96).

Million n. m.

Un **million** est équivalent à mille mille. C'est la septième position à gauche de la *virgule de cadrage*. Un million peut aussi être défini comme étant la sixième *puissance* de dix.

1 000 000 = 1 000 mille
1 000 000 = 10^6

Minute n. f.

1. Une **minute** est une sous-unité de mesure d'*angle*.

Voir aussi *degré* et *S.I.*

2. Une **minute** est aussi une sous-unité de mesure de *temps*.

Voir aussi *temps* et *S.I.*

Mode * n. m.

Le **mode** est la valeur ayant la *fréquence* la plus élevée dans une distribution où la *variable* est *discrète*.

EXEMPLES :

- Si les données d'une distribution sont :
  0, 1, 2, 2, 3, 3, 4, 4,4, 5,5, 6,6,6, 7, 7, 7, 7, 8, 8;
  alors le mode est 7.
- Si les données sont :
  3, 2, 4, 4, 2, 1, 0, 5, 6;
  alors les modes sont 2 et 4.

N.B. Lorsqu'il y a deux modes dans la même distribution de données, on dit que cette distribution est **bimodale**.

Modulo n. m.

Si *x* et *y* ont le même *reste* lorsqu'on les divise par *n*, on dit que *x* est congru à *y* **modulo** *n* ($x \equiv y \bmod n$).

EXEMPLE :
$25 \equiv 33 \bmod 4$ (se lit « 25 est congru à 33 modulo 4 »)
parce que $25 \div 4 = 6$ reste 1 et que $33 \div 4 = 8$ reste 1.

Moins adv.

Le symbole **moins** (—) est utilisé pour signifier une *soustraction.* On utilise aussi ce symbole pour désigner un *nombre négatif.*

$8 - 3 = 5$

↓

Symbole de la soustraction (se lit «moins»)

Monôme * n. m.

Un **monôme** est une *expression algébrique* dans laquelle n'intervient que la multiplication. C'est un *polynôme* à un seul *terme.* Les expressions algébriques suivantes sont des monômes : $3x^2$, $-5ab^2$, $\frac{1}{3}x^2y^3z^4$.

Moyen n.m. → *proportion* (p. 138).

Moyenne n. f.

La **moyenne** (arithmétique) de plusieurs quantités est la somme de ces quantités divisée par le nombre de quantités additionnées.

EXEMPLE :

$$\text{Taille moyenne} = \frac{12\text{ cm} + 16\text{ cm} + 11\text{ cm}}{3} = 13\text{ cm}$$

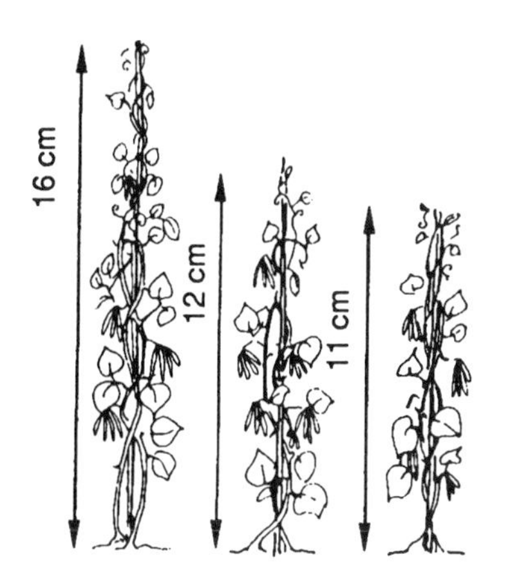

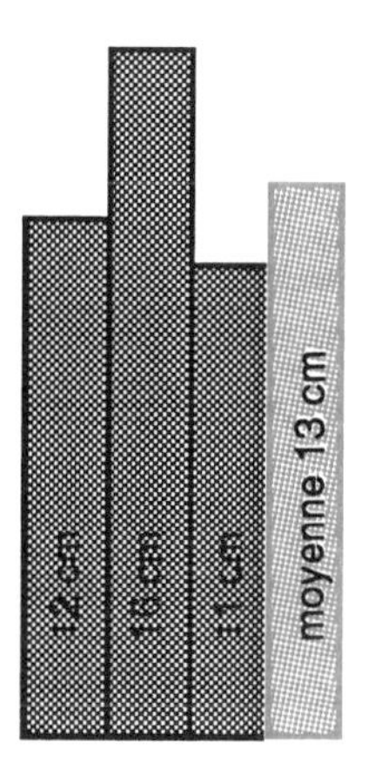

La moyenne est toujours inférieure à la plus grande valeur et supérieure à la plus petite.

Multiple adj. et n. m.

Un nombre est **multiple** d'un autre s'il le contient exactement zéro, une ou plusieurs fois.

EXEMPLES :
21 est multiple de 7; car 7 est contenu exactement 3 fois dans 21.
De même, 28 est multiple de 7.
7 est multiple de 7.
MAIS : 15 n'est pas multiple de 7.

7N = { 0, 7, 14, 21, 28, 35, 42, ... }

0 est un multiple de tous les nombres.

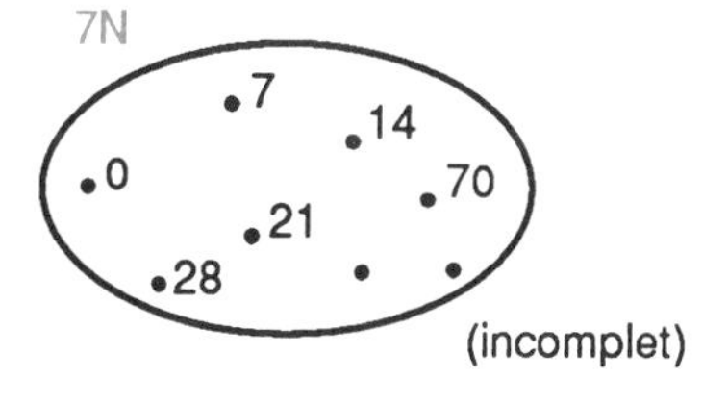

Voir aussi *P.P.C.M.*

Multiple commun n. m.

Un nombre qui est un multiple de deux ou plusieurs nombres est un **multiple commun** à ces nombres.

12 est un multiple de 2;
12 est un multiple de 6.
Donc, 12 est un multiple commun à 2 et 6.

Voir aussi *P.P.C.M.*

Multiplication n. f.

La **multiplication** est une des quatre *opérations* de base en arithmétique. Cette opération consiste à trouver le *produit* de deux ou plusieurs *termes*. Lorsqu'on effectue une multiplication, le premier terme se nomme **multiplicande** et le deuxième, **multiplicateur**.

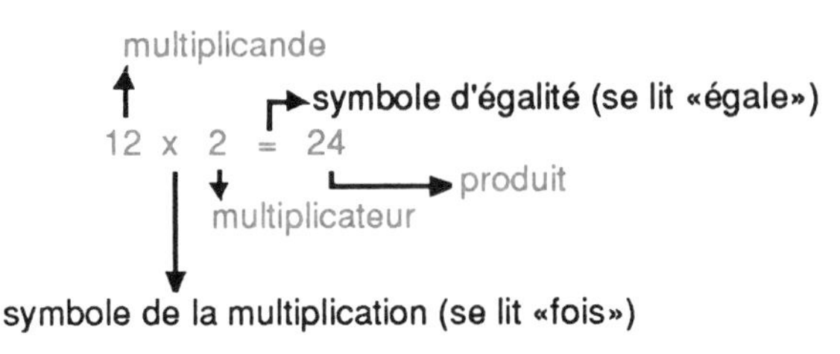

Voir aussi *table de multiplication*.

ℕ

Ensemble des nombres naturels. → *nombre naturel* (p. 111).

Naturel adj. → *nombre naturel* (p. 111).

Négatif adj. → *nombre négatif* (p. 111).

Neutre adj. → *élément neutre* (p. 63).

Noeud n. m.

Nom donné à chacun des points d'un *réseau*.

Noeud d'intersection (de carrefour)

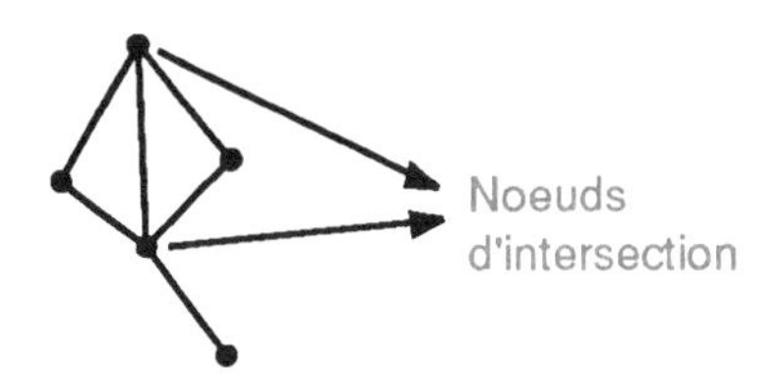

Noeud où se rencontrent au moins trois branches.

Noeud de relais

Noeud où se rencontrent exactement deux branches.

Noeud impair

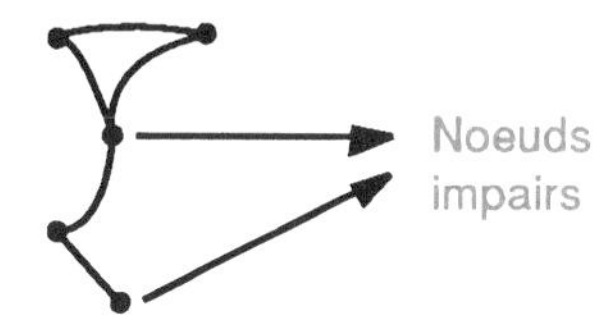

Noeud où se rencontrent un nombre impair de branches.

Noeud pair

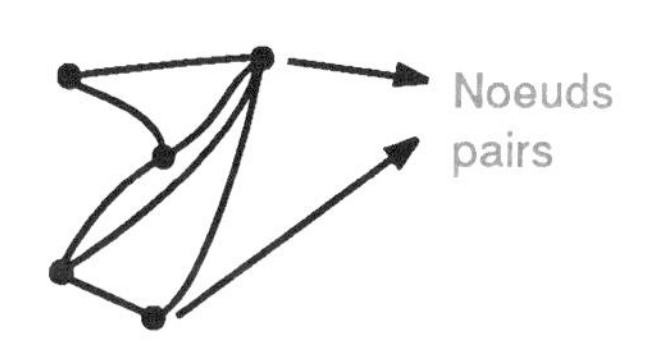

Noeud où se rencontrent un nombre pair de branches.

Noeud terminal

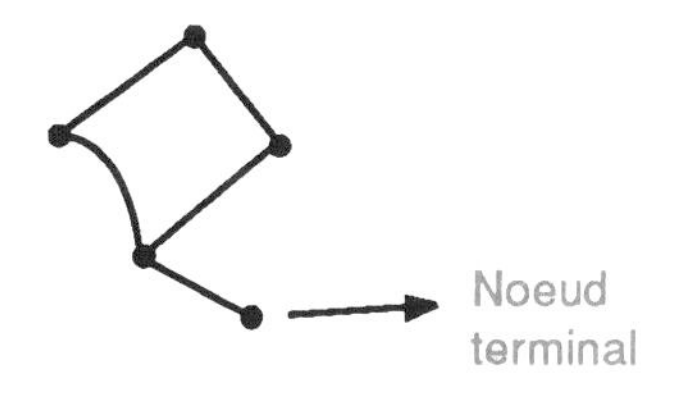

Noeud d'où part une et une seule branche.

Nombre n. m.

Un **nombre** est un objet mathématique représentant une quantité, une grandeur, une position, etc. On utilise les *chiffres* (0, 1, 2, 3, 4, 5, 6, 7, 8 et 9) comme symboles des nombres.

Voir *nombre composé, nombre décimal, nombre entier, nombre naturel, nombre négatif, nombre périodique, nombre positif, nombre premier, nombre rationnel, nombre réel.*

Nombre à virgule n. m. → *nombre décimal* (p. 108).

Nombre composé n.m.

Un nombre naturel supérieur ou égal à 2 qui possède plus de deux diviseurs est appelé **nombre composé**.
EXEMPLES :
4 est un nombre composé (3 diviseurs : 1, 2, 4).
6 est un nombre composé (4 diviseurs : 1, 2, 3, 6).

Nombre décimal (nombre à virgule) n. m.

Un **nombre décimal** est un nombre écrit selon le système décimal (et non sous forme de fraction).

EXEMPLE :
12,406 (se lit « douze unités quatre cent six millièmes »)

Un nombre décimal peut être représenté sur une droite de nombres.

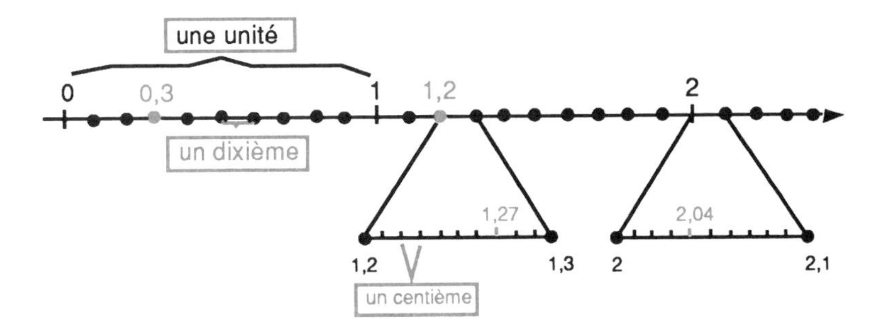

Les points (ronds) représentent le découpage de la droite en *dixièmes*. Les traits représentent le découpage de la droite en *centièmes*.

$\frac{5}{4}$ = 1,25 est un nombre décimal limité, tandis que $\frac{5}{3}$ = 1,66666... est un *nombre périodique illimité*. On peut écrire un nombre périodique en traçant un tiret au-dessus de la partie décimale qui se répète infiniment : $1,\overline{6}$ = 1,666666..., $1,\overline{34}$ = 1,343 434... et $1,\overline{123}$ = 1,123123123...

ADDITION ET SOUSTRACTION DE NOMBRES DÉCIMAUX

Pour additionner et soustraire deux nombres décimaux, il faut aligner correctement les rangs correspondants : unités avec unités, dizaines avec dizaines, etc.

EXEMPLES :

$2532{,}5 + 0{,}037 + 428 = ?$

```
 2532,5
    0,037
  428
---------
 2960,537
```

$5371{,}3 - 0{,}128 = ?$

```
 5371,3
    0,128
---------
 5371,172
```

MULTIPLICATION DE DEUX NOMBRES DÉCIMAUX

Pour multiplier entre eux deux nombres à virgule, on effectue la multiplication comme s'il s'agissait de nombres entiers. Ensuite, on écrit une virgule au résultat de telle sorte qu'il y ait autant de chiffres après la virgule que dans les deux facteurs réunis.

EXEMPLE :

$24{,}51 \times 7{,}3 = ?$

```
   2451
 x   73
 ------
   7353
 17157
 ------
 178923      178,923
```

Dans ce cas-ci, il y aura au résultat trois chiffres après la virgule.

Il est conseillé d'estimer le résultat avant de résoudre l'opération.

DIVISION DE DEUX NOMBRES DÉCIMAUX

1er cas : diviseur entier

EXEMPLE :

$$\begin{array}{r|l} 462,65 & 5 \\ -45 & 92,53 \\ 12 & \\ -10 & \\ 2\,6 & \\ -2\,5 & \\ 1\,5 & \\ 1\,5 & \\ 0 & \end{array}$$

Dans ce cas, il faut écrire une virgule au quotient avant d'abaisser le premier chiffre décimal. Il est conseillé de commencer par estimer le résultat.

2e cas : diviseur à virgule

EXEMPLE :

$$84 : 1,5 = ?$$
$$\downarrow 10\times \quad \downarrow 10\times$$
$$840 : 15$$

Dans ce cas, on rend le diviseur entier en multipliant le diviseur et le dividende tous deux par 10 (ou par 100).

$$\begin{array}{r|l} 840 & 15 \\ 75 & 56 \\ 90 & \\ 90 & \\ 0 & \end{array}$$

On dit qu'un quotient est exact lorsque la division ne comprend plus de reste.

Un **quotient** est **approché** au millième près si l'on arrête la division quand il y a 3 chiffres décimaux au quotient.

Nombre entier n. m.

Les **nombres entiers** sont les *nombres naturels* et leurs *opposés* :
-15, -14, -13, ..., -3, -2, -1, 0, 1, 2, ...

Les nombres -15, -14, -13, ..., -3, -2, -1 sont des **nombres entiers négatifs**, tandis que 1, 2, 3 sont des **nombres entiers positifs**.

0 n'est ni positif, ni négatif.

L'ensemble des nombres entiers est l'ensemble $\mathbb{Z}$. L'ensemble $\mathbb{N}$ des nombres naturels est inclus dans $\mathbb{Z}$.

Nombre fractionnaire n. m.

Un **nombre fractionnaire** est un nombre composé d'un nombre entier accompagné d'une fraction.

EXEMPLE :

$6\frac{1}{8}$, $300\frac{1}{4}$, $12\frac{1}{2}$ sont des nombres fractionnaires.

Nombre impair n. m.

Les **nombres impairs** sont les nombres entiers (positifs ou négatifs) qui ne sont pas multiples de 2 :
1, 3, 5, 7, ... 21, 23, 25, 27, ...

Nombre irrationnel n. m.

Les **nombres irrationnels** sont les nombres qui ne peuvent s'écrire sous la forme d'un rapport de deux nombres entiers. Pi (π), $\sqrt{2}$, $3\sqrt{5}$ sont des nombres irrationnels. L'ensemble des nombres irrationnels est noté $\mathbb{Q}'$.

Nombre naturel n. m.

Les **nombres naturels** sont les nombres avec lesquels on compte, on dénombre les objets dans la vie courante.
0, 1, 2, 3, 4, 5, 6, 7, 8, ..., 32, 33, 34, 35, ...

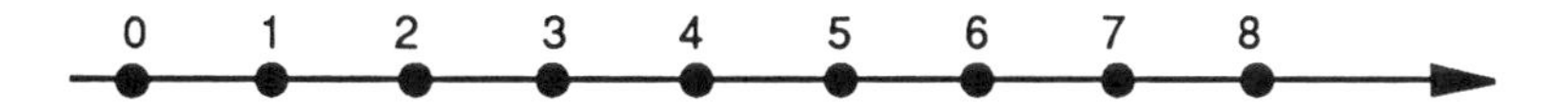

L'ensemble des nombres naturels est noté $\mathbb{N}$.

Nombre négatif n. m. → *nombre entier* (p. 110).

Nombre pair n. m.

Un **nombre pair** est un nombre entier multiple de 2. Ainsi, 0, 2, 4, 6, 8, 10, 12, ..., 32, 34, 36, 38, ... sont des nombres pairs, mais aussi -2, -4, ...

Nombre périodique n. m.

Un **nombre périodique** est un nombre décimal où les mêmes chiffres reviennent sans cesse dans le développement, et dans le même ordre.

EXEMPLES :

$\frac{1}{3}$ = 0,333 333 33... (La période est 3.)

$\frac{14}{11}$ = 1,272 727 27... (La période est 27.)

La période ne commence pas toujours de suite après la virgule de cadrage (nombre périodique mixte).

EXEMPLE :

$\frac{47}{6}$ = 7,1666 666...

Dès que le dénominateur d'une fraction irréductible contient autre chose que 2 et 5 dans sa décomposition en *facteurs premiers*, cette fraction donne lieu à un développement périodique : $\frac{2}{7}$, $\frac{5}{6}$, $\frac{1}{30}$, ... Un nombre périodique s'écrit généralement avec un trait au-dessus de la période pour indiquer que les chiffres de la période se répètent à l'infini :
$7,1\overline{6}$ = 7,166 666...

Nombre positif n. m. → *nombre entier* et *nombre naturel* (p. 110).

Nombre premier n. m.

Un **nombre premier** est un nombre naturel supérieur ou égal à 2 qui possède exactement deux *diviseurs* : 1 et lui-même.

EXEMPLES :

19 est un nombre premier (2 diviseurs : 1 et 19);
2 est un nombre premier (2 diviseurs : 1 et 2).

MAIS : 4 n'est pas premier (3 diviseurs : 1, 2 et 4);
1 n'est pas premier (un seul diviseur : 1).
0 n'est pas premier (il possède une infinité de diviseurs).

Les nombres premiers inférieurs à 100 sont :
2, 3, 5, 7, 11, 13, 17, 19, 23, 29, 31, 37, 41, 43, 47, 53, 59, 61, 67, 71, 73, 79, 83, 89, 97.

Des nombres **premiers entre eux** sont des nombres qui ont 1 comme seul *diviseur commun*.

EXEMPLE : 15 et 16.

Nombre rationnel n. m.

Un **nombre rationnel** est un nombre qui peut s'écrire sous la forme d'un *rapport* entre deux nombres entiers (le deuxième nombre étant différent de zéro).

EXEMPLES :

0,3 $(= \frac{3}{10})$

25 $(= \frac{25}{1})$

2,25 $(= \frac{9}{4})$

0,666 666... $(= \frac{2}{3})$

L'ensemble des nombres rationnels se nomme ℚ. Il contient les ensembles ℕ et ℤ.

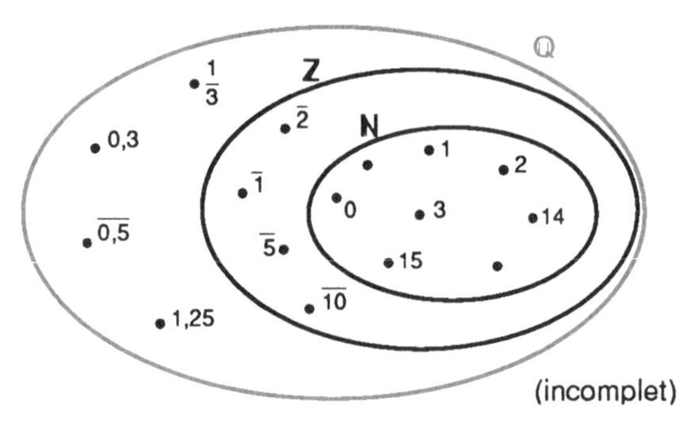

Nombre réel * n. m.

Les **nombres réels** sont tous les nombres de la droite des nombres, y compris les nombres irrationnels qui, comme pi (π) ou $\sqrt{2}$, ne peuvent pas s'écrire sous la forme d'un rapport entre deux nombres entiers.

L'ensemble des nombres réels se note ℝ. Il contient les ensembles ℕ, ℤ, ℚ et l'ensemble ℚ'.

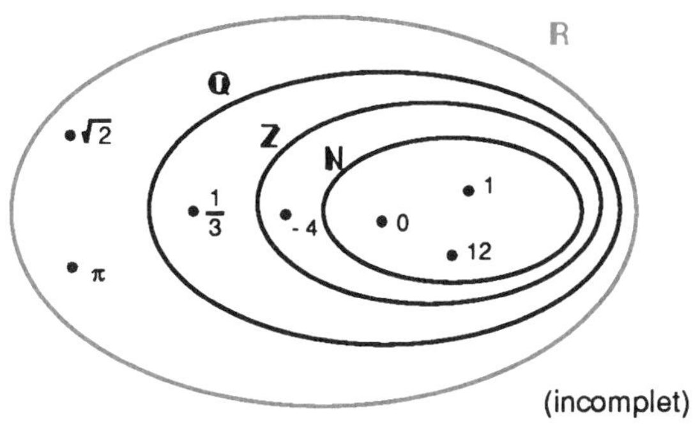

Notation scientifique * n. f.

Lorsqu'un nombre est représenté par le *produit* d'un *nombre entier* ou d'un *nombre décimal* compris entre 10 et -10 et une *base* dix affectée d'un exposant, on dit que ce nombre est écrit en **notation scientifique**.

EXEMPLES :
$-4,2 \times 10^2$ (est égal à -420)
$3,7 \times 10^{-1}$ (est égal à 0,37)

Ce type de notation est très utilisé en sciences. Les opérations mettant en jeu des nombres écrits en notation scientifique sont de beaucoup simplifiées par l'utilisation de la calculatrice. Consultez le livret d'instructions de votre calculatrice pour en connaître le fonctionnement avec la notation scientifique.

Numérateur n. m.

Le numérateur d'une fraction est le terme situé au-dessus de la barre de fraction : 3 est le numérateur de la fraction $\frac{3}{4}$.

Oblique adj.

Si une *droite* coupe une autre droite ou un *plan* sans lui être *perpendiculaire*, on dit que cette droite est **oblique**.

Voir aussi *prisme*.

Obtus adj. → *angle* (p.10).

Obtusangle adj.

Un triangle **obtusangle** est un triangle qui a un angle obtus.

Voir aussi *triangle*.

Octaèdre n. m.

Polyèdre à 8 faces. → *polyèdre* (p. 128).

Octogone n. m.

Polygone à 8 côtés. → *polygone* (p. 129).

Opérateur n. m.

Un **opérateur** est un *symbole*, ou un groupe de symboles, qui transforme un nombre en un autre nombre par un traitement mathématique.

EXEMPLES :
5 + 3 = 8 L'opérateur est + 3.
7 x 4 = 28 L'opérateur est x 4.

Opération n. f.

Une **opération** est une *règle* qui, à deux éléments donnés (souvent des nombres), en associe un troisième, le résultat de l'opération. L'addition, la soustraction, la multiplication et la division sont les quatre opérations de base en mathématique.

EXEMPLES :

Opération inverse n. f.

Deux **opérations** sont **inverses** si les effets de l'une annulent les effets de l'autre.

EXEMPLES :
L'addition et la soustraction sont des opérations inverses.
10 + 2 = 12 12 — 2 = 10

La multiplication et la division sont des opérations inverses.
6 x 3 = 18 18 ÷ 3 = 6

Opposé adj.

1. Des nombres sont **opposés** si leur somme est zéro.

   EXEMPLES :
   4 et -4 sont des nombres opposés, car 4 + -4 = 0.
   -15 est l'opposé de 15, car -15 + 15 = 0.
   0 est son propre opposé, car 0 + 0 = 0.

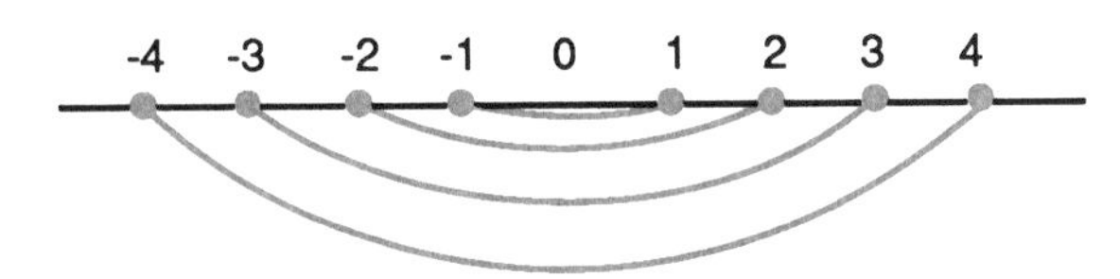

2. Deux *angles* sont **opposés** par le sommet s'ils ont le même *sommet* et si les *côtés* de l'un sont le prolongement des côtés de l'autre. Des angles opposés par le sommet sont *congrus*.

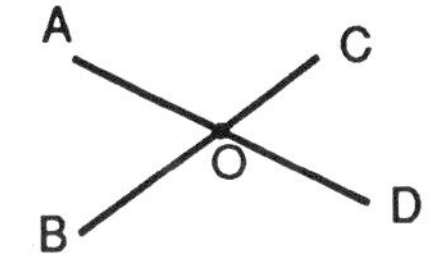

m ∠ AOB = m ∠ COD
m ∠ AOC = m ∠ BOD

Ordinal n. m.

L'**ordinal** d'un nombre, c'est la place qu'il occupe dans la suite des nombres, et notamment sur la droite des nombres.

EXEMPLE :

Le nombre 4 (le quatrième nombre naturel après zéro) est inférieur au nombre 5 .

3 < 4 < 5 < 6 < 7

On oppose l'ordinal au *cardinal* qui, lui, représente l'aspect « quantité » du nombre : « une table à 4 pieds ».

AUTRE EXEMPLE :

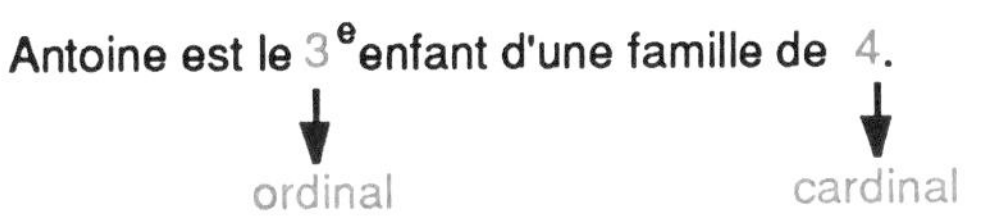

Ordinogramme n. m.

Un **ordinogramme** est la transcription d'un *algorithme* sous une forme schématique.

Ordonnée n. f. → *diagramme cartésien* (p. 49) et *coordonnées* (p. 37).

Ordonner v.

Placer des objets ou des nombres suivant un ordre préétabli.

Ordre n. m.

$8 > 7 > 6$ 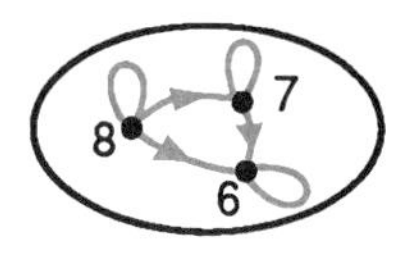

EXEMPLES :

Les relations « ... est supérieur ou égal à ... », « ... est au moins aussi lourd que ... », « ... est diviseur de ... » sont des relations d'ordre.

1. Un **ordre** est dit **croissant** si les nombres sont disposés du plus petit au plus grand. On peut utiliser le symbole $<$ (se lit « est inférieur à », « est plus petit que ») pour représenter ce type d'ordre. Les nombres suivants sont placés par ordre croissant : -2, 0, 2, 3, 6, 8, 10, 11. On peut écrire que $-2 < 0 < 2 < 3 < 6 < 8 < 10 < 11$.

2. Un **ordre** est dit **décroissant** si les nombres sont disposés du plus grand au plus petit. On peut utiliser le symbole $>$ (se lit « est supérieur à », « est plus grand que ») pour représenter ce type d'ordre. Les nombres suivants sont placés par ordre décroissant : 8, 5, 4, 2, $\frac{1}{2}$, $\frac{1}{4}$, 0, -1, -6. On peut écrire que

   $8 > 5 > 4 > 2 > > 0 > -1 > -6$.

3. Dans un *réseau*, l'**ordre** représente le nombre de *noeuds* de ce réseau.

Voir aussi *inégalité*.

Orienté adj. → *droite* (p. 61) et *réseau* (p. 151).

Origine n. f. → *diagramme cartésien* (p. 49) et *demi-droite* (p. 45).

Orthogonal * adj.

Orthogonal signifie « perpendiculaire ». Des droites peuvent être orthogonales, des plans peuvent être orthogonaux.
Symétrie orthogonale → *symétrie* (p. 166).
Projection orthogonale → *projection* (p. 138).

Orthographe n. f. → *règles d'orthographe* (p. 149).

Ouvert adj.

1. Une figure **ouverte** est une figure qui ne contient aucun point de sa *frontière*.

2. Un réseau **ouvert** est un réseau qui comprend au moins un *noeud terminal*.

Pair adj. → *nombre pair* (p. 112).

Paire n. f.

Ensemble qui possède 2 éléments. → *cardinal* (p. 26).

Parallèle adj.

Des lignes **parallèles** sont des lignes qui gardent toujours le même écartement entre elles.
En particulier, des droites **parallèles** sont des droites d'un même plan qui ne se traversent jamais : soit que leur intersection est vide, soit qu'elles sont confondues.

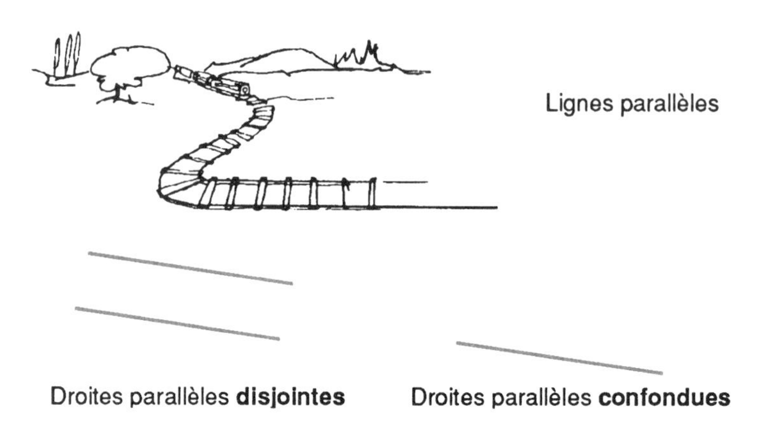
Lignes parallèles

Droites parallèles **disjointes** Droites parallèles **confondues**

Voir aussi *sécant* et *diagramme de Venn.*

Parallélépipède n. m.

Le **parallélépipède** est un *polyèdre* à 6 faces dont chacune des faces est un parallélogramme. Les faces opposées sont congruentes et parallèles entre elles.

EXEMPLE :

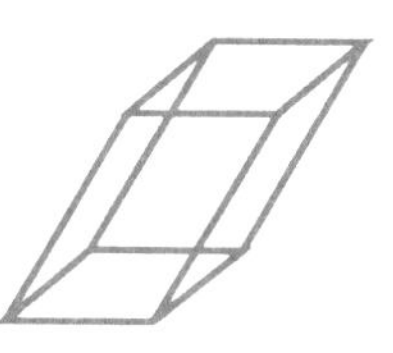

Ce parallélépipède est en fait un prisme oblique à base rectangulaire.

Un parallélépipède dont toutes les faces sont des rectangles est un **parallélépipède rectangle**.

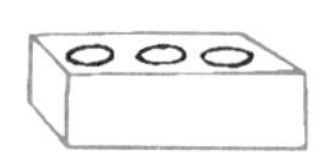
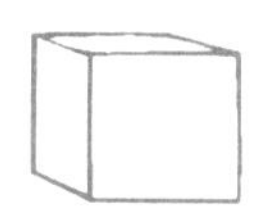

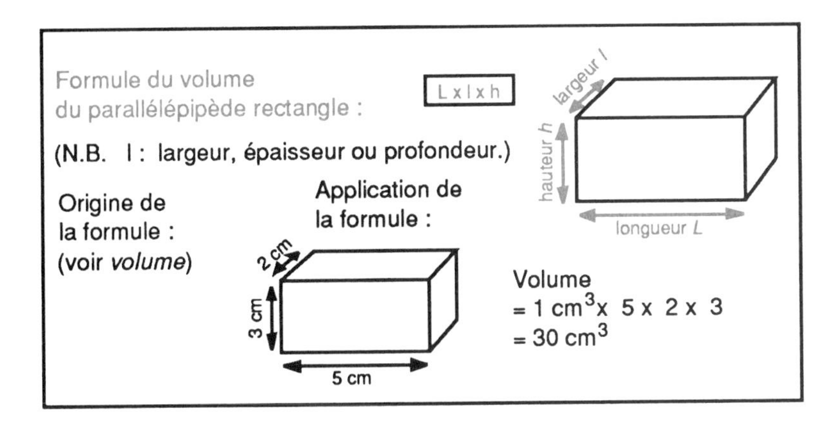

Exemple de *développement* du parallélépipède rectangle :

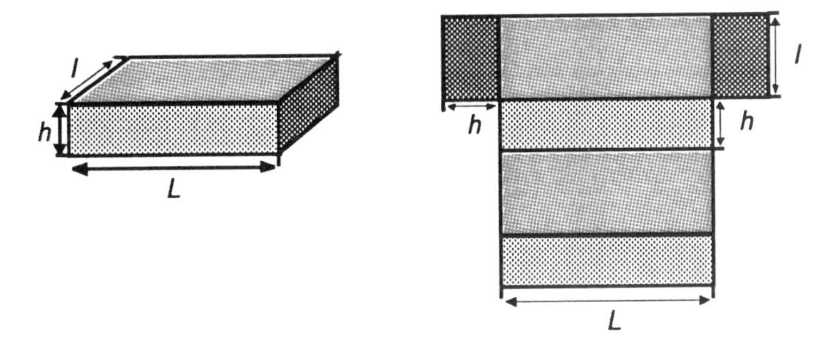

Parallélisme n. m.

Le **parallélisme** est l'état de ce qui est *parallèle.* On utilise le symbole || (se lit « est parallèle à ») pour désigner deux *droites* parallèles.

Parallélogramme n. m.

Un **parallélogramme** est un *quadrilatère* dont les côtés opposés sont parallèles.

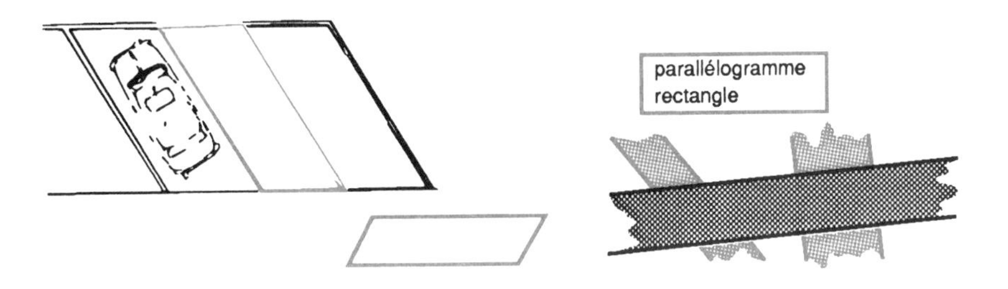

Les propriétés du parallélogramme sont les suivantes :

- Les côtés opposés sont de même longueur.

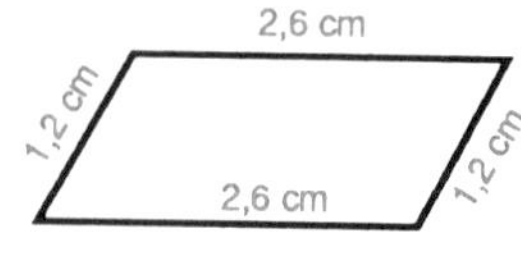

- Les angles opposés ont même mesure.

- Les diagonales se coupent en leur milieu.

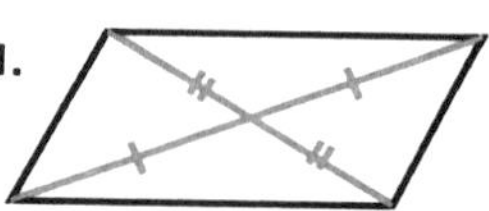

- Il possède un *centre de symétrie* mais, en général, il ne possède pas d'axe de symétrie.

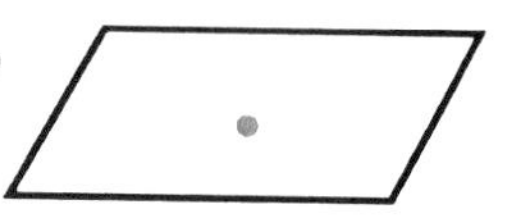

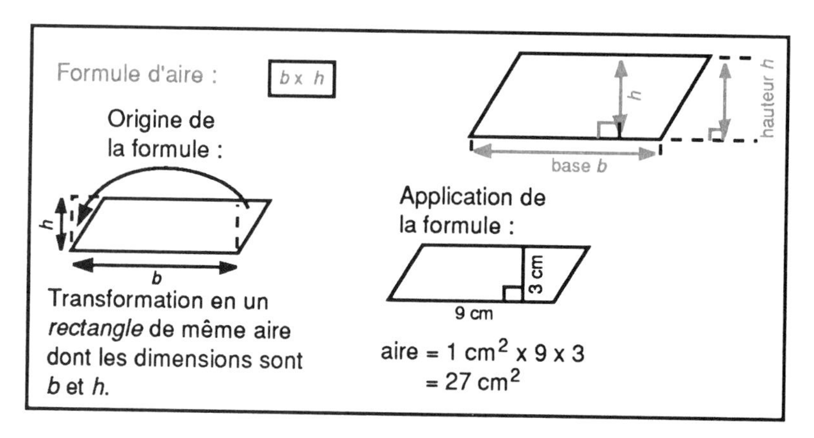

Parenthèse n. f.

Les **parenthèses** sont des symboles servant à regrouper des *opérations*. Elles permettent de déterminer un certain ordre dans les opérations à effectuer.

EXEMPLES :

$4 + 2 (3 + 2) - 5 = 9$

$3 (2 - 1) + 4 (5 + 2) = 31$

Les **parenthèses** servent également à regrouper les deux éléments d'un *couple*.

Partie n. f.

Sous-ensemble. → *inclusion* (p. 89).

Partition n. f.

Une **partition** est un découpage d'un ensemble en *sous-ensembles* qui vérifie trois conditions :

. Aucun sous-ensemble ne peut être vide.
. Deux sous-ensembles quelconques doivent toujours être disjoints.
. La *réunion* des sous-ensembles doit être l'ensemble de départ.

EXEMPLE :

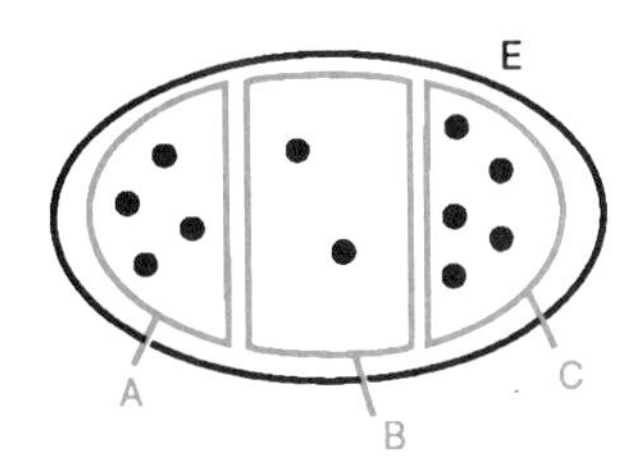

$\{A, B, C\} = P_1(E)$
(L'ensemble des parties A, B et C est une partition de l'ensemble E.)

AUTRE EXEMPLE :
Les ♥, les ♦, les ♠ et les ♣ dans un jeu de 52 cartes (sans joker).

Patron n. m. → *développement* (p. 46).

Pattern n. m. → *régularité* (p. 150).

Pentadécagone n. m.

Polygone à 15 côtés. → *polygone* (p. 129).

Pentagone n. m.

Polygone à 5 côtés. → *polygone* (p. 129).

Pente n. f.

La **pente** d'une route ou d'un terrain est son inclinaison par rapport à l'horizontale. Elle s'exprime en pourcentage.

$$\text{Pente} = \frac{12 \text{ cm}}{100 \text{ cm}} = 12\ \%$$

Périmètre n. m.

Le **périmètre** d'une figure géométrique plane fermée, c'est la longueur de son contour.

EXEMPLES :
Périmètre du carré $= 4 \times c$.
Périmètre du rectangle $= 2 \times (L + l)$.
Périmètre du cercle $= 2\pi \times r$.
Périmètre des polygones réguliers $= n \times c$, où n est le nombre de côtés.

Périodique adj. → *nombre périodique* (p. 112).

Permutation n. f.

Permuter des éléments, c'est changer leur ordre de présentation :

3 - 1 - 6 , 3 - 6 - 1 , 1 - 3 - 6 , 6 - 3 - 1 sont quatre

permutations des chiffres 1, 3 et 6.

Perpendiculaire adj.

Des lignes **perpendiculaires** sont des lignes qui se coupent à *angle droit.* Deux droites perpendiculaires forment 4 angles droits.

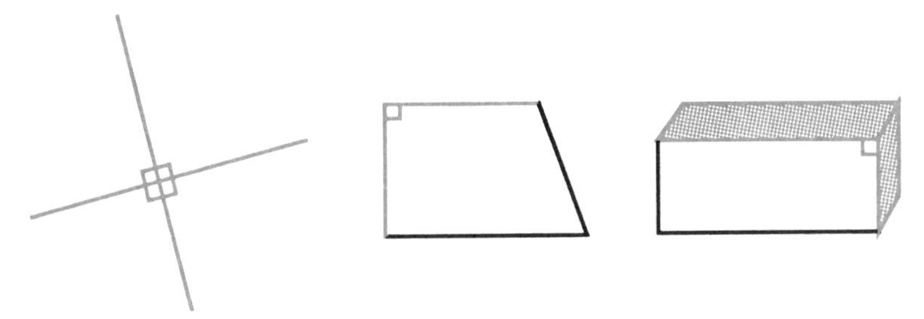

Droites perpendiculaires Côtés perpendiculaires Faces perpendiculaires

Parfois, il faut prolonger un segment ou une face pour vérifier la perpendicularité. Le symbole de la perpendicularité est $\perp$. En effet, si l'on écrit $\overline{AB} \perp \overline{CD}$, cela signifie, le segment AB est perpendiculaire au segment CD.

Perte n. f. → *bénéfice* (p. 20).

P.G.C.D. n. m.

Le **P.G.C.D.** (plus grand commun diviseur) de deux nombres est le plus grand des *diviseurs communs* à ces deux nombres.

EXEMPLES :

. Diviseurs de 12 : 1, 2, 3, 4, 6 , 12.
. Diviseurs de 18 : 1, 2, 3, 6 , 9, 18.

Les nombres 12 et 18 ont comme P.G.C.D. le nombre 6.

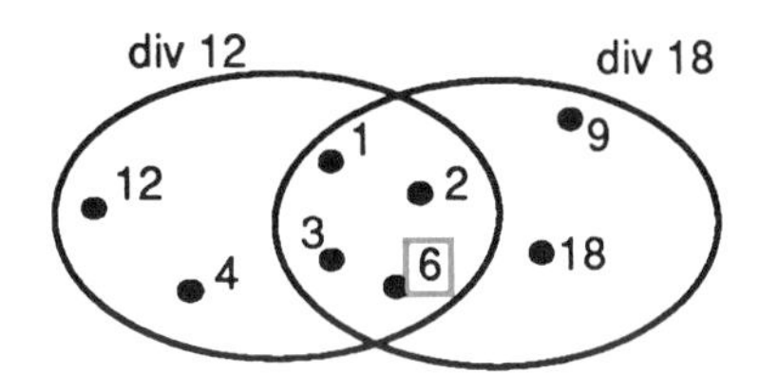

EXEMPLE :

Recherche du P.G.C.D. de 140 et 120 :

$140 = 2 \times 2 \times 5 \times 7$

$120 = 2 \times 2 \times 2 \times 3 \times 5$

2 2 5

Le p.g.c.d. de 120 et 140 est
$2 \times 2 \times 5 = 20$.

Pi

Le nombre pi (π = 3,141 59...) est le rapport entre la *circonférence* d'un cercle et de son *diamètre* : $\pi = \frac{c}{d}$.

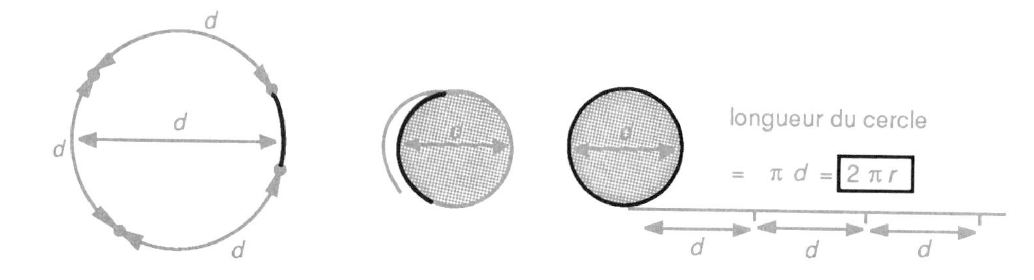

Le diamètre est contenu un peu plus de 3 fois dans le cercle (π fois, ou environ 3,14 fois).

Si on « déroule » le cercle, sa longueur vaut un peu plus que 3,14 fois le diamètre, c'est-à-dire π fois le diamètre.

Voir aussi *disque*.

Pictogramme n. m.

Un **pictogramme** est un diagramme dans lequel les valeurs de chacune des variables sont représentées à l'aide de symboles imagés.

La signification de ces symboles est donnée dans une légende.

EXEMPLE :

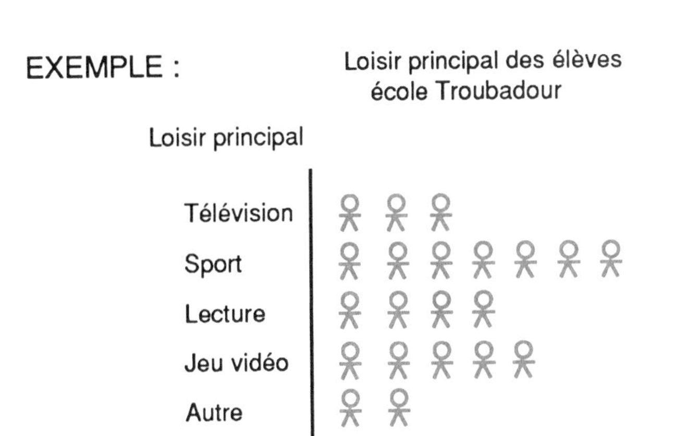

Plan n. m.

Un **plan** est une surface qui est *illimitée* de tous côtés et qui est convexe, c'est-à-dire qui n'a pas de courbure ni de trou.

Comme une *droite*, un plan n'existe pas dans la réalité : seule notre imagination peut faire exister un plancher ou un mur parfaitement lisses qui ne s'arrêteraient d'aucun côté.

Plan cartésien n. m.

Un **plan cartésien** est une surface plane délimitée par deux droites perpendiculaires.

Ces droites, nommées axes, sont orientées et graduées.

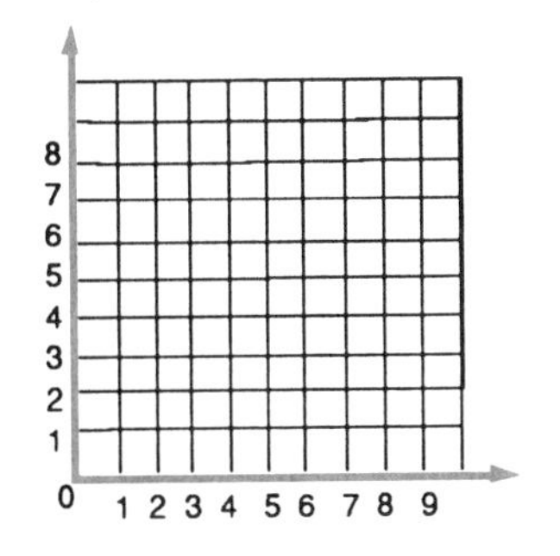

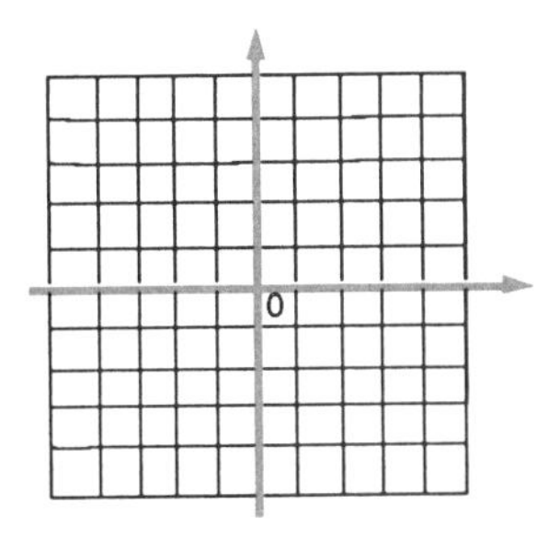

Voir aussi *coordonnées cartésiennes* et *quadrant* .

Plat adj. → *angle* (p. 10).

Plein adj. → *angle* (p. 10).

Plus adv.

Le symbole **plus** (+) est utilisé pour signifier une *addition*. On utilise aussi ce symbole pour désigner un nombre *positif*.

$$5 + 8 = 13$$

↓

symbole de l'addition (se lit «plus»)

Poids n. m. → *masse* (p. 99).

Point n. m.

1. Un **point** est une *figure géométrique* sans dimension. Deux *droites* distinctes se coupent en un point.

2. Mot qui désigne un noeud dans un réseau.

Point d'intersection → *noeud d'intersection* (p. 106).
Point de relais → *noeud de relais* (p. 107).
Point terminal → *noeud terminal* (p. 107).

Voir aussi *dimension* et *figure géométrique*.

Polyèdre n. m.

Un **polyèdre** est un solide qui n'est limité que par des polygones plats : les *cubes*, les *parallélépipèdes* rectangles, les *pyramides* sont des polyèdres, mais les *cylindres*, les *cônes*, les *sphères* ne sont pas des polyèdres.

Les polygones plats s'appellent des **faces**. L'intersection de deux faces est une **arête**.

Un **polyèdre régulier** a toutes ses faces congruentes et les angles entre deux faces sont congrus. Il n'en existe que cinq :

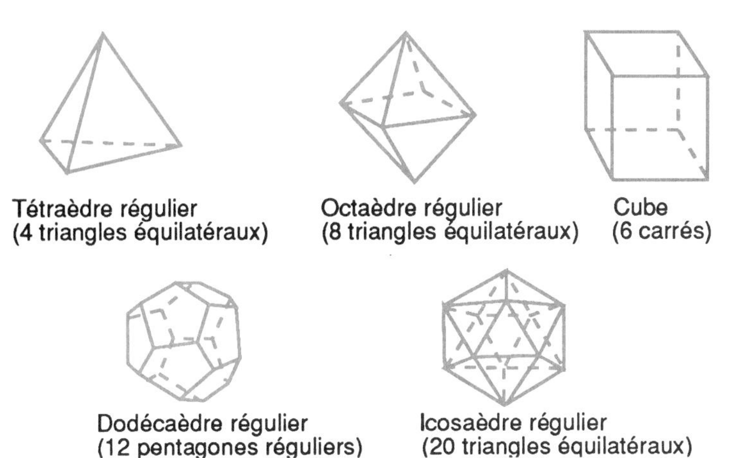

Tétraèdre régulier (4 triangles équilatéraux)
Octaèdre régulier (8 triangles équilatéraux)
Cube (6 carrés)
Dodécaèdre régulier (12 pentagones réguliers)
Icosaèdre régulier (20 triangles équilatéraux)

Polygone n. m.

Un **polygone** est une surface plane fermée limitée uniquement par des *segments* de droite.

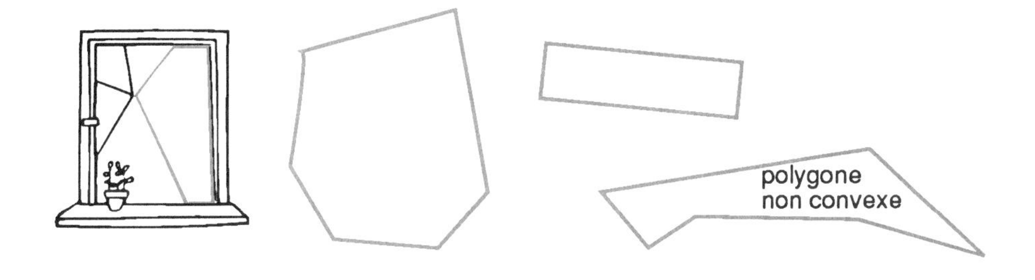

Un polygone à 3 côtés est un **triangle**.
Un polygone à 4 côtés est un **quadrilatère**.
Un polygone à 5 côtés est un **pentagone**.
Un polygone à 6 côtés est un **hexagone**.
Un polygone à 7 côtés est un **heptagone**.
Un polygone à 8 côtés est un **octogone**.
Un polygone à 9 côtés est un **ennéagone**.
Un polygone à 10 côtés est un **décagone**.
Un polygone à 12 côtés est un **dodécagone**.
Un polygone à 15 côtés est un **pentadécagone** (ou pentédécagone).

Un **polygone régulier** est un polygone dont tous les côtés et tous les angles sont congrus. Un **polygone irrégulier** est un polygone qui n'est pas régulier.

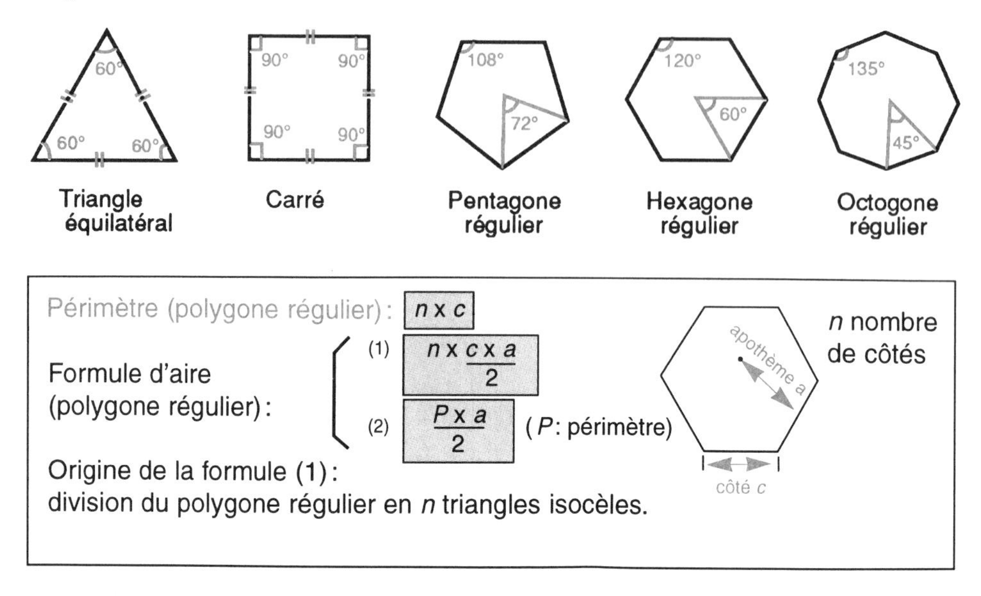

Un **polygone concave** est un polygone qui possède au moins un angle intérieur dont la mesure est supérieure à 180 ° (angle rentrant).

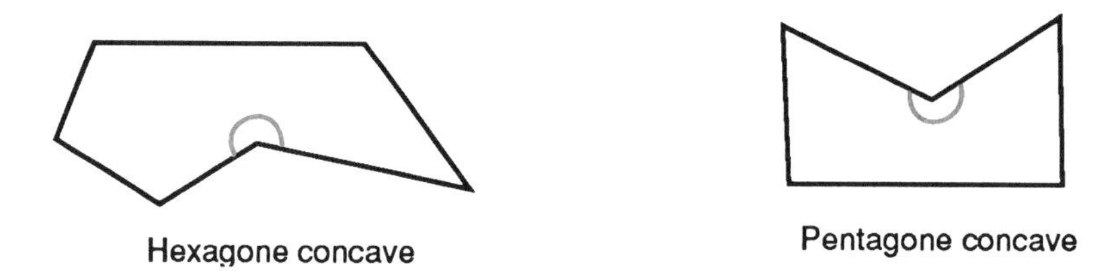

Hexagone concave

Pentagone concave

Un **polygone convexe** est un polygone dont tous les angles intérieurs ont une mesure inférieure à 180° (angle saillant).

La somme des angles inférieurs d'un polygone à n côtés est égale à (n — 2)180°.

Voir aussi *carré, hexagone, triangle.*

Polynôme n. m.

Un **polynôme** est une *expression algébrique* constituée d'un ou de plusieurs *termes* reliés entre eux par des signes d'addition ou de soustraction, ou par les deux à la fois.

EXEMPLES :

$4ac + b^2$ Polynôme à 2 termes (binôme).

$3x^2 — \frac{4}{3}x + 4$ Polynôme à 3 termes (trinôme).

$0,5\ a^3b^2c — 3,7\ a^2bc + \frac{0,5\ ab}{0,3\ b} — 3,5b$ Polynôme à 4 termes.

Voir aussi *binôme, monôme, trinôme.*

Population n. f.

En statistique, une **population** est un ensemble d'observations ou de mesures ayant une caractéristique commune.

Positif adj. → *nombre entier* (p. 110) et *nombre naturel* (p. 111).

Position n. f.

Le système de numération décimale est un système de numération positionnelle.

Il utilise 10 symboles (les chiffres) et la valeur d'un chiffre dans un nombre dépend de sa position dans ce nombre.

Voici une partie du tableau des positions du système décimal.

TABLEAU DES POSITIONS								
Dizaines de mille	Unités de mille	Centaines	Dizaines	Unités	,	Dixièmes	Centièmes	Millièmes
3	1	8	4	6	,	2	5	7

Dans le nombre 31 846,257 le chiffre 1 est à la position des unités de mille et sa valeur est de 1 000 unités, le chiffre 2 est à la position des dixièmes, et sa valeur est de 2 dixièmes d'unités.

Voir aussi *chiffre, valeur de position, système de numération.*

Postulat n. m.

Un **postulat** est une supposition (proposition admise sans preuve) qu'il faut admettre pour établir une démonstration.

Pourcentage n. m.

Un **pourcentage** est une fraction dont le dénominateur est 100.

Le symbole % se lit « pourcent » et signifie « x $\frac{1}{100}$ »

EXEMPLE :

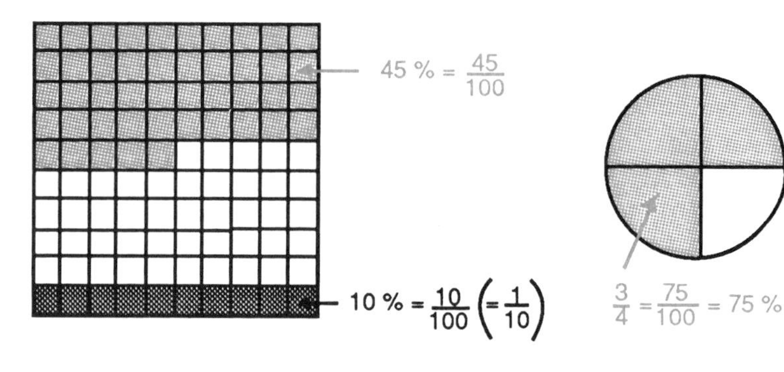

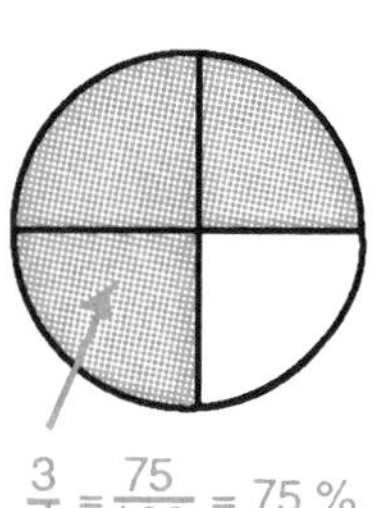

Représentation des principaux pourcentages :

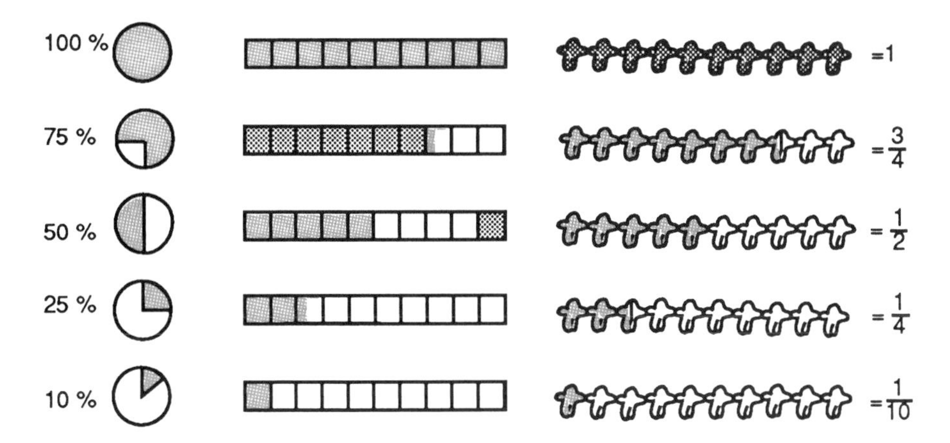

Transformation d'une fraction en pourcentage :

$$\frac{1}{20} = \frac{1 \times 5}{20 \times 5} = \frac{5}{100} = 5\,\%$$

$$\frac{4}{5} = \frac{4 \times 20}{5 \times 20} = \frac{80}{100} = 80\,\%$$

Calcul d'un pourcentage : 35 % de 200 kg $= \frac{35 \times 200 \text{ kg}}{100} = 70$ kg

---

P.P.C.M.

Le **p.p.c.m.** (ou plus petit commun *multiple*) de deux nombres est le plus petit des multiples (différent de zéro) commun à ces nombres.

Par exemple, 12 est le plus petit multiple commun à 4 et à 6.

Multiples de 4 → 0, 4, 8, 12, 16, 20, ...
Multiples de 6 → 0, 6, 12, 18, 24, 30, ...

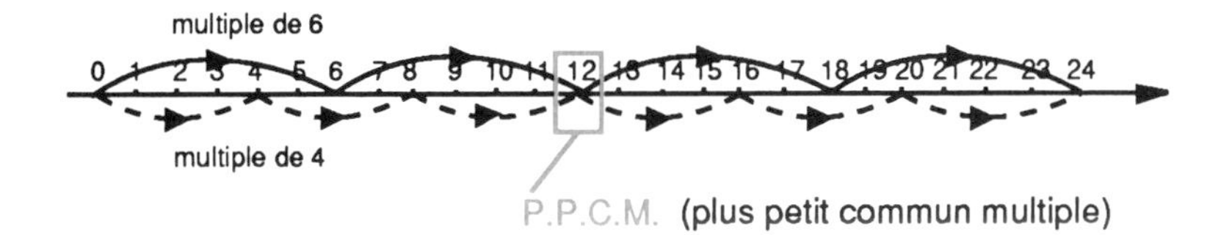

Voir aussi *multiple commun.*

Pour la recherche par calcul du P.P.C.M., voir *dénominateur commun.*

Premier adj. numér. → *nombre premier* (p. 112) et *facteur* (p.71).

Preuve n. f.

Vérification de l'exactitude d'une opération que l'on a effectuée.

Priorité n. f.

La règle de **priorité** dans les opérations veut que, dans une expression mathématique, certaines opérations soient effectuées avant d'autres.

En particulier :

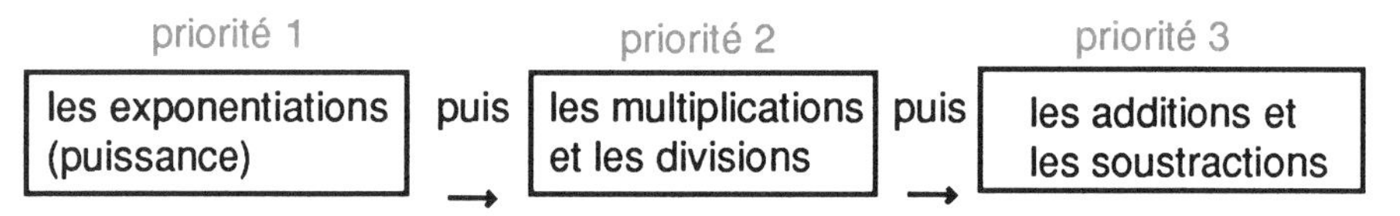

EXEMPLE :

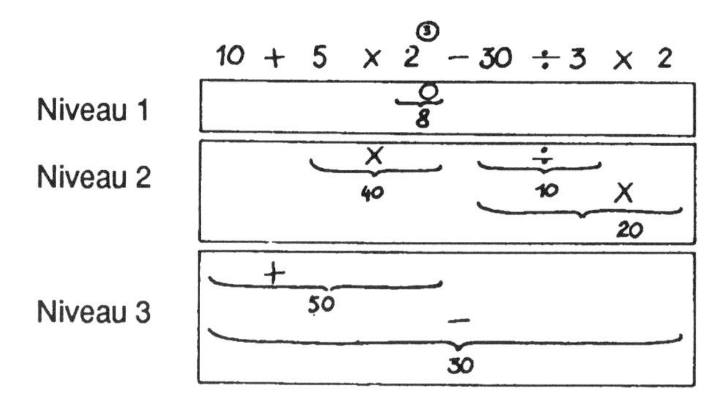

Lorsqu'on veut modifier l'ordre de priorité, il faut écrire des parenthèses. Cependant, pour la facilité de lecture, il est conseillé d'écrire des parenthèses, même quand elles ne sont pas indispensables.

Voir aussi *accolade, crochet, parenthèse.*

Prisme n. m.

Le **prisme** est un *polyèdre* limité par deux *polygones* parallèles et congrus liés entre eux par des *parallélogrammes.*

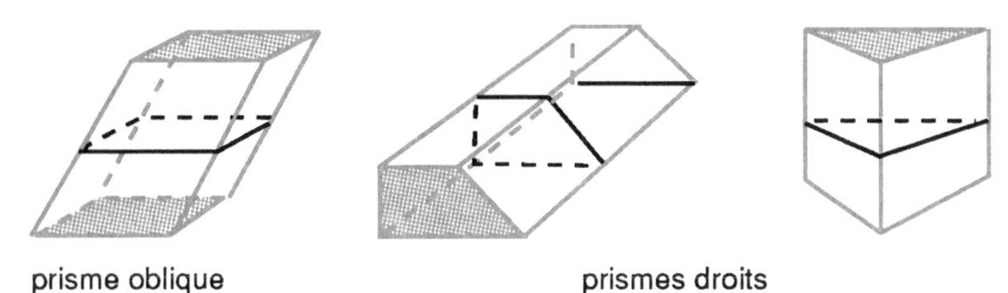

prisme oblique — prismes droits

Dans un **prisme droit**, les arêtes qui relient les deux bases sont perpendiculaires aux bases. Dans le cas contraire, on parle de **prisme oblique**.

Dans un **prisme** (droit) **régulier**, les bases sont des *polygones réguliers.*

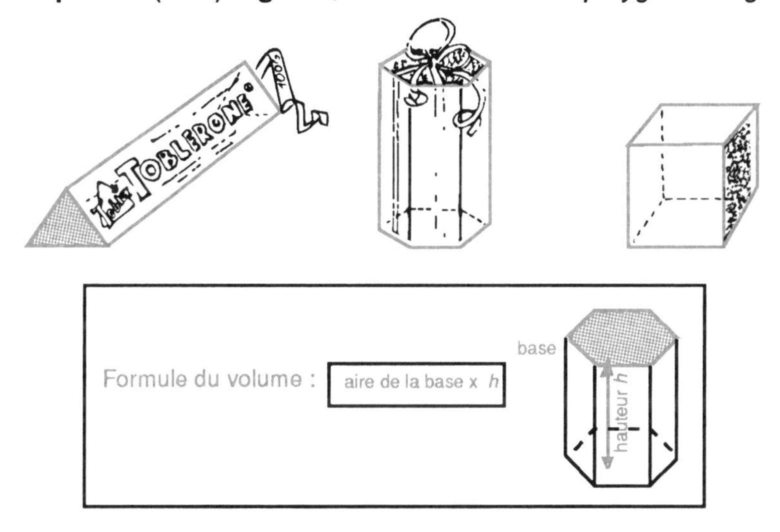

Prismes réguliers

Selon la forme de leur base, les prismes portent des noms particuliers. On parle donc de **prismes triangulaires**, **rectangulaires**, **pentagonaux**, **hexagonaux**, etc.

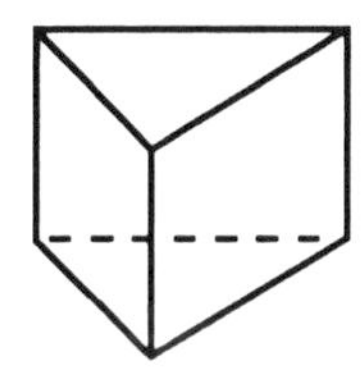
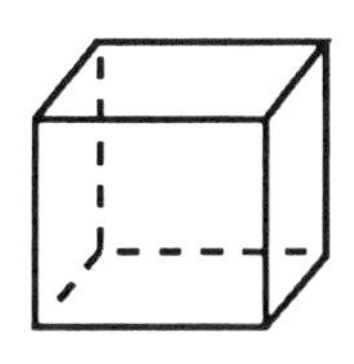
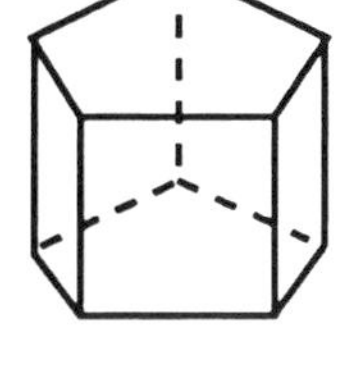
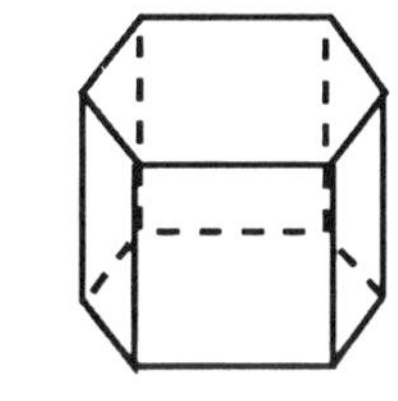

Prisme triangulaire — Prisme rectangulaire — Prisme pentagonal — Prisme hexagonal

Probabilité n. f.

Une **probabilité** est le rapport entre le nombre de cas favorables et le nombre de cas possibles d'une **expérience** dite **aléatoire** (expérience dont le résultat est déterminé par le hasard).

EXEMPLES :

. La probabilité de tirer un roi de coeur d'un jeu de cartes sans joker est $\frac{1}{52}$ parce que le nombre de cas favorable est 1 (il n'y a qu'un seul roi de coeur dans un jeu de cartes) et que le nombre de cas possibles est 52 (il y a 52 cartes en tout).

. La probabilité d'obtenir un nombre impair en lançant un dé est $\frac{3}{6}$ parce que le nombre de cas favorables est 3 (les nombres impairs d'un dé sont 1, 3 et 5) et que le nombre de cas possibles est 6 (il y a 6 nombres sur un dé).

Produit n. m.

Le **produit** est le résultat d'une multiplication de deux ou plusieurs nombres appelés *facteurs*.

EXEMPLE :
6 x 9 = 54
54 est le produit des facteurs 6 et 9.

Lorsqu'il y a un nombre impair de facteurs négatifs, le produit est négatif. Lorsqu'il y a un nombre pair de facteurs négatifs, le produit est positif.

EXEMPLES :
6 x (-9) = -54
2 x 2 x (-2) x (-2) x (-2) = -32
(-2) x (-2) x (-2) x (-2) = 16

Produit cartésien n. m.

Le **produit cartésien** de deux ensembles est l'ensemble de tous les couples dont l'origine appartient à l'ensemble de départ et l'extrémité appartient à l'ensemble d'arrivée. Le produit cartésien des ensembles A et B est noté A x B.

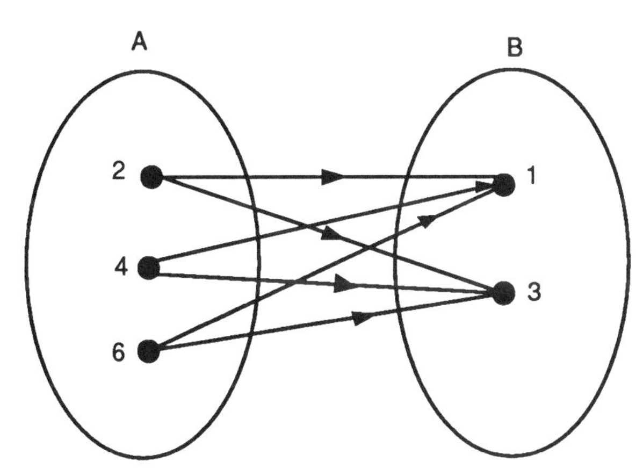

A = { 2, 4, 6 } B = { 1, 3 }
A x B = { (2, 1), (2, 3), (4, 1), (4, 3), (6, 1), (6, 3) }

Progression n. f.

1. Une **progression arithmétique**, est une *suite* dans laquelle chaque terme est égal au précédent augmenté d'une quantité constante (appelée *raison*).

EXEMPLE :

3 → 8 → 13 → 18 → 23
(+5 +5 +5 +5)

2. Une **progression géométrique** est une *suite* dans laquelle chaque terme est égal au précédent multiplié par une quantité constante.

EXEMPLE :

1 → 2 → 4 → 8 → 16 → 32
(2x 2x 2x 2x 2x)

Projection n. f.

Une **projection parallèle** sur une droite est une *transformation géométrique* dans laquelle chaque point est envoyé sur la droite dans une *direction* donnée au départ (différente de celle de la droite).

Projection sur D parallèle à A

Dans une projection **orthogonale**, les points sont envoyés sur la droite D perpendiculairement à celle-ci.

Proportion n. f.

Une **proportion** est une égalité entre deux rapports. Dans une proportion $\frac{a}{b} = \frac{c}{d}$, les termes *a* et *d* sont appelés les **extrêmes**, tandis que les termes *b* et *c* sont appelés les **moyens**. Dans toute proportion, le produit des extrêmes est égal au produit des moyens.

EXEMPLE :

Soit la proportion $\frac{4}{9} = \frac{12}{27}$. On a alors 4 x 27 = 108 (le produit des extrêmes) et 9 x 12 = 108 (le produit des moyens).

Voir aussi *rapport*.

Proportionnel adj.

1. Deux grandeurs sont dites *proportionnelles* si, quand l'une devient deux fois, trois fois, ..., plus grande, l'autre devient aussi deux fois, trois fois, ..., plus grande (et vice versa).

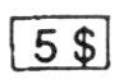

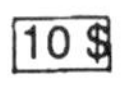

15 $

EXEMPLES :

. Le prix P payé pour des sachets de café est proportionnel au nombre n de sachets de café.

$P = n \times 5$

. La longueur du cercle est proportionnelle au diamètre : pour un diamètre cinq fois plus grand qu'un diamètre donné, la longueur du cercle sera cinq fois plus grande.

2. Deux grandeurs sont **inversement proportionnelles** si, quand l'une devient deux fois, trois fois, ..., plus grande, l'autre devient deux fois, trois fois, ..., plus petite.

EXEMPLE :
La longueur L et la largeur l de rectangles de même aire.

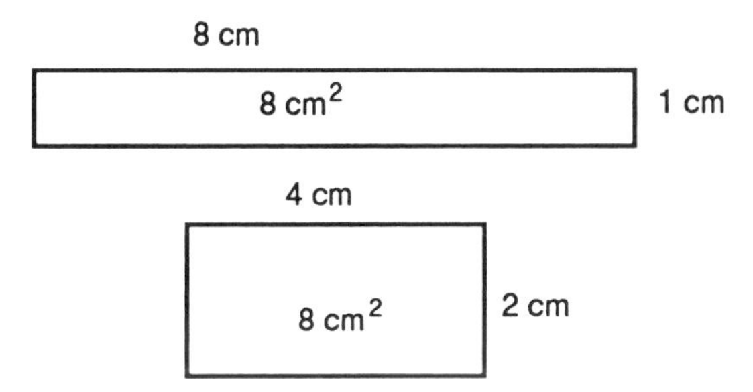

Voir aussi *constante* et *échelle*.

Proposition n. f.

Une **proposition** est une affirmation dont on peut dire immédiatement si elle est vraie ou fausse.

EXEMPLE : Il pleut dehors
$2 + 2 = 4$; $3 + 5 = 10$ sont des propositions.
Pleut-il dehors?; $4 + 3$ ne sont pas des propositions.

Propriété n. f.

Une **propriété** d'une figure, d'un objet ou d'une relation est une des caractéristiques remarquables de cette figure, de cet objet ou de cette relation.

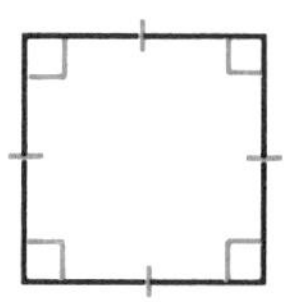

Les propriétés du carré sont qu'il possède 4 angles droits et 4 côtés congrus.

Puissance n. f.

La **puissance** d'un nombre est le produit de plusieurs facteurs égaux à ce nombre.

$4^2 = 4 \times 4 \longrightarrow$ 4 au carré
4 exposat deux

4 | 4

$4^2 = 4 \times 4 = 16$

16 est la 2e puissance de 4

$4^3 = 4 \times 4 \times 4 \longrightarrow$ 4 au cube
4 exposat trois

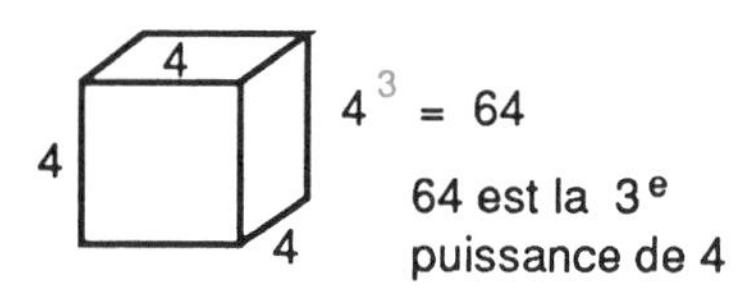

Voir aussi *racine carrée* et *base de numération*.

Pyramide n. f.

Une **pyramide** est un *polyèdre* muni d'une base polygonale, de faces latérales de forme triangulaire et d'un sommet. Chacun des coins de la base est relié au sommet par une *arête* latérale. Une **pyramide régulière** est une pyramide dont les faces latérales sont *congruentes*.

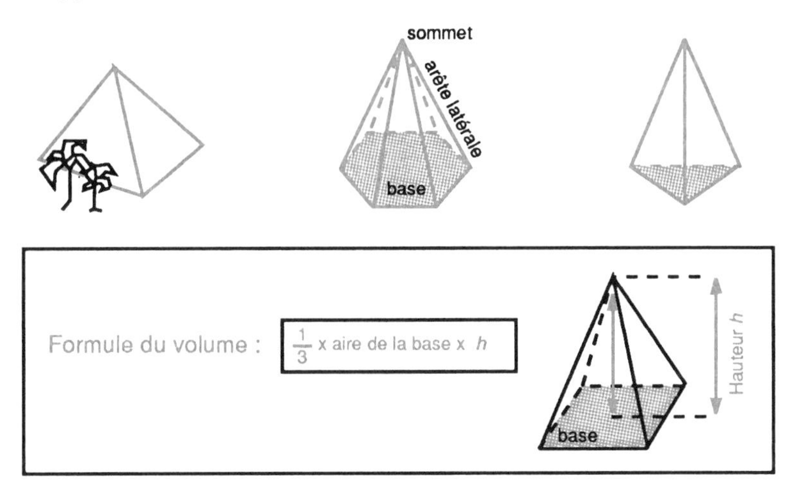

Pythagore * → *hypoténuse* (p. 86).

Ensemble des *nombres rationnels.* → *nombre rationnel* (p. 113).

$\mathbb{Q}'$

Ensemble des *nombres irrationnels.* → *nombre irrationnel* (p. 111).

Quadrant n. m.

Un **quadrant** est une région du *plan cartésien* délimitée par 2 demi-droites. Un plan cartésien peut posséder quatre quadrants numérotés dans le sens contraire au parcours des aiguilles d'une montre.

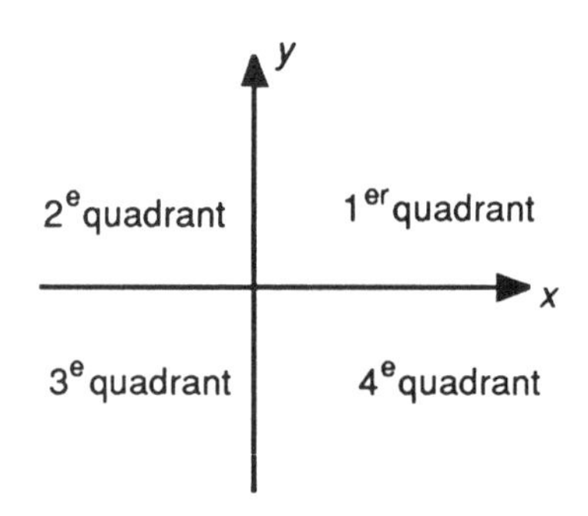

Dans le premier quadrant, les coordonnées d'un point sont positives (+, +). Dans le deuxième quadrant, la première coordonnée d'un point est négative, tandis que la deuxième est positive (—, +). Dans le troisième quadrant, les deux coordonnées d'un point sont négatives (—, —). Dans le quatrième quadrant, la première coordonnée d'un point est positive, tandis que la deuxième est négative (+, —).

Voir aussi *coordonnées cartésiennes.*

Quadratique * adj.

Une équation **quadratique** est une équation du second degré à une variable.

Voir aussi *degré* et *équation.*

Quadrilatère n. m.

Un **quadrilatère** est un *polygone* à 4 côtés.

La somme des angles intérieurs d'un quadrilatère est égale à 360°.

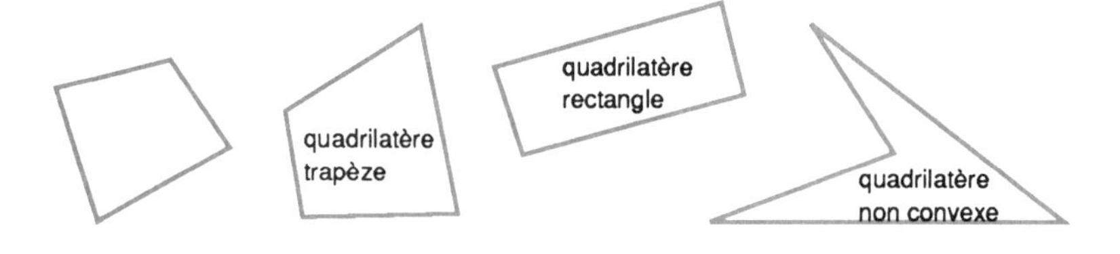

Organisation des quadrilatères :

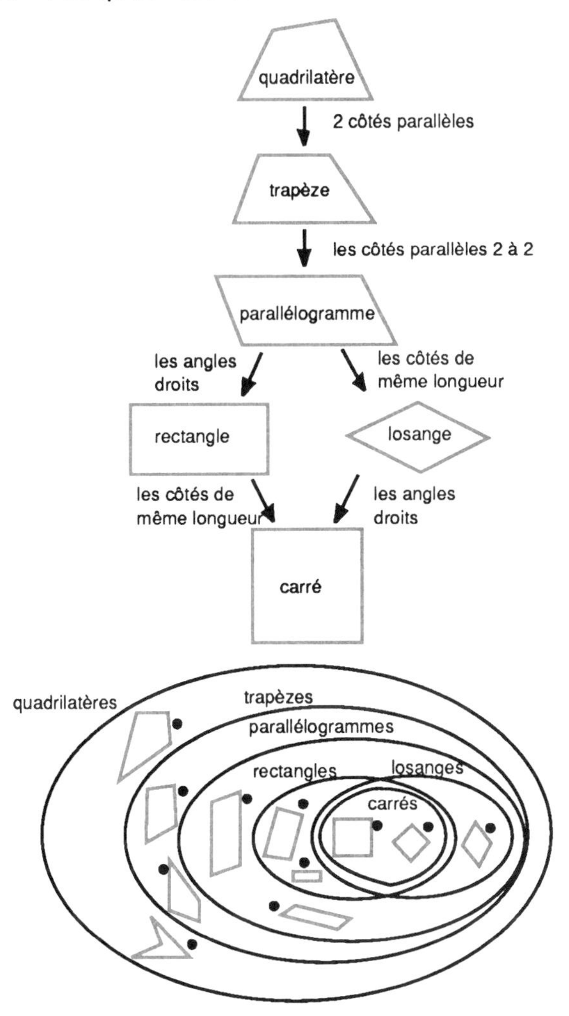

Quantificateur * n. m.

Un **quantificateur** est un mot qui donne une indication sur la quantité. On en utilise deux principalement :

1. Le quantificateur existentiel (∃). Exemple : « Il existe au moins un mammifère qui vit dans l'eau » (c'est-à-dire un, plusieurs, ou même tous).

2. Le quantificateur universel (∀). Exemple : « Tous les insectes ont 6 pattes. »

Quotient n. m.

Un **quotient** est le résultat d'une division.

EXEMPLES :

$72 \div 8 = 9$

9 est le quotient de 72 et de 8 (ou le quotient de 72 par 8).

$36 \div 5 \rightarrow$ quotient 7 reste 1

7 est le quotient entier de 36 et de 5, le reste (toujours inférieur au diviseur) de la division étant 1. Le **quotient exact** de 36 et de 5 est 7,2.

Quotient approché n. m. → *nombre décimal* (p. 108).

$\mathbb{R}$

Ensemble des nombres réels. → *nombre réel* (p. 114).

Racine carrée n. f.

La **racine carrée** d'un nombre *x* est un nombre qui, multiplié par lui-même, donne *x*. On utilise le symbole $\sqrt{}$ pour désigner la racine carrée d'un nombre.

EXEMPLES :

$\sqrt{25}$ = 5 ou -5, parce que $5^2 = 25$ et $(-5)^2 = 25$.

$\sqrt{100}$ = 10 ou -10, parce que $10^2 = 100$ et $(-10)^2 = 100$.

Raison n. f.

La **raison** d'une *suite* arithmétique est la *différence* entre deux termes *consécutifs* de cette suite.

0, 2, 4, 6, 8, 10, ... est une suite arithmétique de raison 2, parce que la différence entre deux termes consécutifs est 2.

La raison d'une *suite* géométrique est le *quotient* de deux termes consécutifs de cette suite.
1, 3, 9, 27, ... est une suite géométrique de raison 3, parce que le quotient entre deux termes consécutifs est 3.

Voir aussi *progression.*

Rapport n. m.

Un **rapport** est une comparaison que l'on fait entre deux quantités. C'est le *quotient* de ces deux quantités. Le rapport de a à b se note $\frac{a}{b}$ (ou $a \div b$).

Voir aussi *fraction.*

Rapporteur d'angle n. m.

Un **rapporteur d'angle** est un instrument servant à mesurer des *angles.* Le rapporteur d'angle donne la mesure d'un angle en *degrés.*

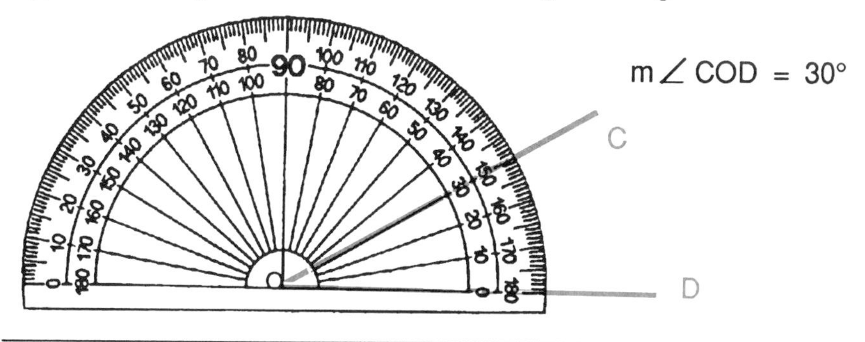

Rationnel adj. → *nombre rationnel* (p. 113).

Rayon n. m.

Segment de droite joignant le centre à un point du *cercle*.
Longueur de ce segment.

Voir aussi *disque*.

Rectangle n. m.

Un **rectangle** est un *quadrilatère* qui a ses 4 *angles* droits.

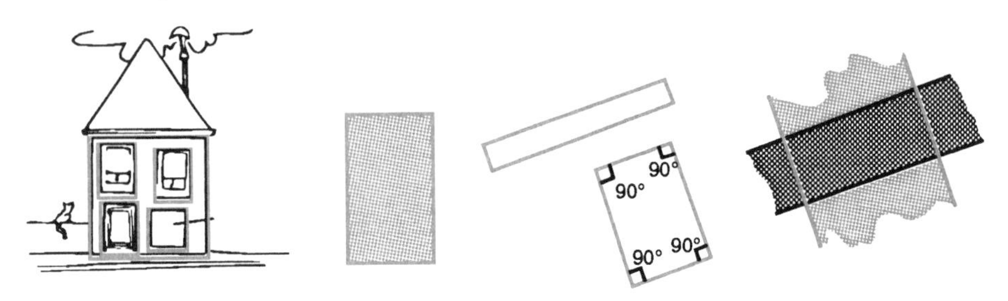

Les propriétés du rectangle sont les suivantes :

- Toutes les propriétés du *parallélogramme.*
- Ses diagonales sont de même longueur.
- Ses médianes sont perpendiculaires.
- Ses médianes sont des axes de symétrie.

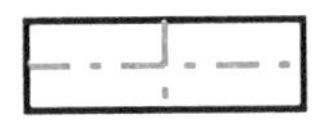

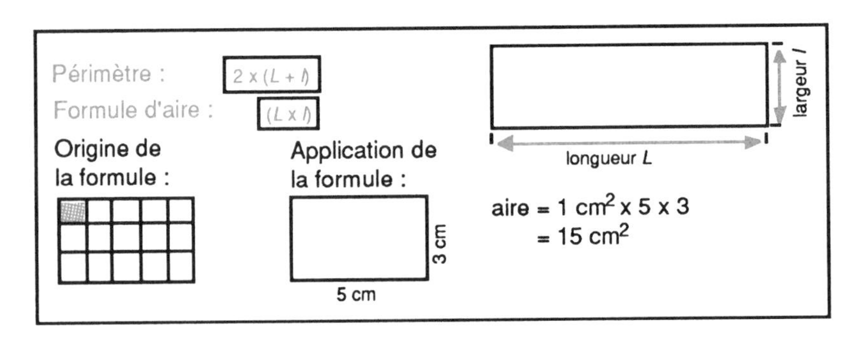

Voir aussi *aire* et *triangle*.

Réduire une fraction → *simplifier* (p. 160).

Réel adj. → *nombre réel* (p. 114).

Référentiel n. m.

Le **référentiel** est l'ensemble des objets ou des nombres auquel on se réfère; c'est l'ensemble de référence. Pour $\{ x \in \mathbb{N} \mid x \geq 2 \}$, le référentiel est l'ensemble des *nombres naturels* ($\mathbb{N}$).

Réflexion n.f. → *symétrie orthogonale* (p. 166).

Région n. f.

La **région** d'un *plan* est une portion de ce plan délimitée par une ligne simple et fermée appelée *frontière*.

Dans un *réseau*, on peut calculer le nombre de régions (R) déterminées par les noeuds (N) et les branches (B) en utilisant la *relation d'Euler* :
R + N = B + 2

EXEMPLES :

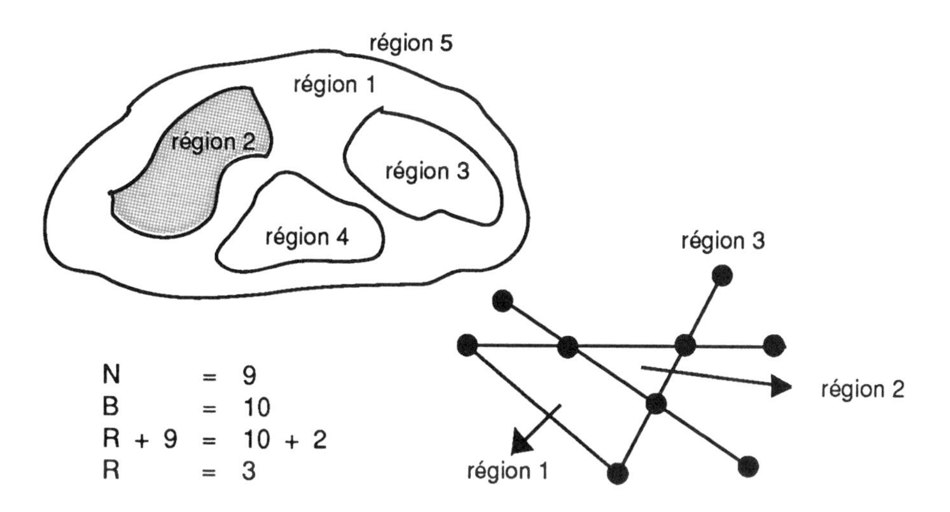

Règle n. f.

Une **règle** est une convention ou un ensemble de conventions se rattachant à une opération quelconque.

Règle de priorité n. f. → *priorité* (p. 134).

Règles des signes *

Pour l'addition :

- Quand on additionne deux *nombres entiers positifs*, le résultat est un nombre positif : ⊕ + ⊕ = ⊕.
- Quand on additionne deux *nombres entiers négatifs*, le résultat est un nombre négatif : ⊖ + ⊖ = ⊖.
- Quand on additionne un nombre entier positif et un nombre entier négatif, le résultat est :
  - un nombre positif si le nombre positif est plus grand que la *valeur absolue* du nombre négatif : ⊕ + ⊖ = ⊕ si ⊕ > |⊖| ;
  - un nombre négatif si la *valeur absolue* du nombre négatif est plus grande que le nombre positif : ⊕ + ⊖ = ⊖ si |⊖| > ⊕.

Pour la soustraction :

La soustraction est l'*opération inverse* de l'addition, car soustraire un nombre entier d'un autre nombre revient à additionner au premier l'opposé de l'autre.

EXEMPLES :
$10 - 4 = 6 = 10 + (-4)$
$5 - 6 = -1 = 5 + (-6)$

On peut donc appliquer à la soustraction les mêmes règles des signes que pour l'addition.

Pour la multiplication :

- Quand on multiplie deux nombres entiers positifs, le résultat est positif: ⊕ x ⊕ = ⊕.

- Quand on multiplie deux nombres entiers négatifs, le résultat est positif: ⊖x ⊖ = ⊕
- Quand on multiplie deux nombres entiers, l'un positif et l'autre négatif, le résultat est négatif : ⊕ x ⊖ = ⊖.

Pour la division :

Puisque la division est l'opération inverse de la multiplication, les règles des signes de la multiplication s'appliquent aussi à la division.

Voir aussi *addition, division, multiplication, soustraction.*

Règles d'orthographe

1. Le mot de liaison « et » relie uniquement « vingt », « trente », « quarante », « cinquante », « soixante » à « un »

   EXEMPLES :
   331 : trois cent trente et un;
   21 : vingt et un.
   MAIS : 81 : quatre-vingt-un;
   201 : deux cent un;
   101 : cent un.

2. Le trait d'union relie entre eux uniquement les nombres inférieurs à cent.

   EXEMPLES :
   quatre-vingt-un, trente-sept, quatre-vingt-dix-neuf.
   MAIS : cent deux, deux cent trois, mille vingt-cinq.

3. Vingt et cent se mettent au pluriel lorsqu'ils sont multipliés sans être suivis d'un autre nombre.

   EXEMPLES :
   quatre-vingts pour cent, mille six cents habitants.
   MAIS : quatre-vingt-deux, trois cent sept.

4. Mille est invariable.

EXEMPLE :
sept mille habitants.

Réglette Cuisenaire n. f.

b : blanche (1 cm)
r : rouge (2 cm)
v : vert claire (3 cm)
R : Rose (4 cm)
j : jaune (5 cm)
V : Vert foncé (6 cm)
n : noire (7 cm)
m : marron (8 cm)
B : Bleue (9 cm)
o : orange (10 cm)

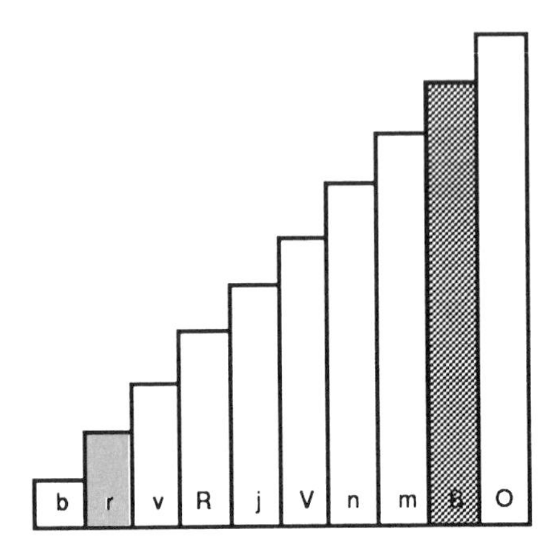

Régularité n. f.

La **régularité** est une caractéristique des *suites* arithmétiques ou géométriques. Cette caractéristique fait en sorte que l'on peut déduire chaque *terme* de la suite à partir d'une loi appelée règle de la suite. On utilise quelquefois le terme **pattern** au lieu de régularité; il est toutefois préférable de s'en tenir à régularité.

Voir aussi *progression*.

Régulier adj. → *polygone* (p. 129) et *polyèdre* (p. 128).

Relation n. f.

Une **relation** entre deux objets, c'est un lien qui existe entre ces deux objets. Cette relation peut être décrite à l'aide d'un symbole ou d'un énoncé.

EXEMPLES :
Dans $1 \in \mathbb{N}$ le symbole $\in$ décrit la relation d'appartenance qui relie 1 et $\mathbb{N}$.

Dans « 2 est plus petit que 3 » l'énoncé « ...est plus petit que... » décrit une relation d'ordre entre 2 et 3.

Relation d'Euler

1. La **relation d'Euler** est une formule mettant en relation les *sommets* (S), les *faces* (*F*) et les *arêtes* (A) d'un *polyèdre régulier.* Cette formule est : $S + F = A + 2$.

   EXEMPLE :

   S = 5
   F = 5
   A = 8

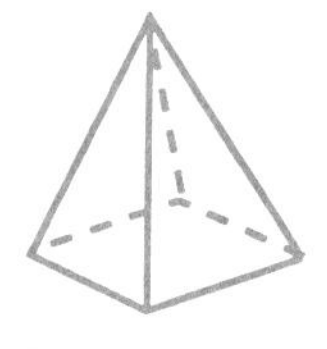

5 + 5 = 8 + 2

2. Dans un *réseau connexe*, la relation d'Euler met en relation les *noeuds* (N), les *régions* (R) et les *branches* (B) : $N + R = B + 2$.

   EXEMPLE :

   N = 9
   R = 6
   B = 13

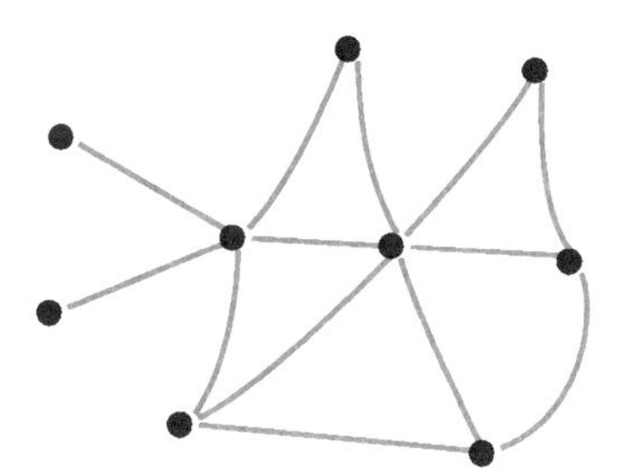

9 + 6 = 13 + 2

Rentrant adj. → *angle* (p. 10).

Réseau n. m.

Un **réseau** est une représentation graphique formée de points reliés entre eux par des lignes. Les points d'un réseau se nomment *noeuds*, tandis que les lignes sont appelées chemins ou *branches*.

Les réseaux sont classés en fonction de l'arrangement des noeuds et des branches.

Un **réseau** est dit **cartésien** s'il est formé de deux ensembles de lignes orientées de telle sorte que toutes les lignes du premier ensemble coupent une seule fois toutes les lignes du deuxième ensemble.

EXEMPLE :

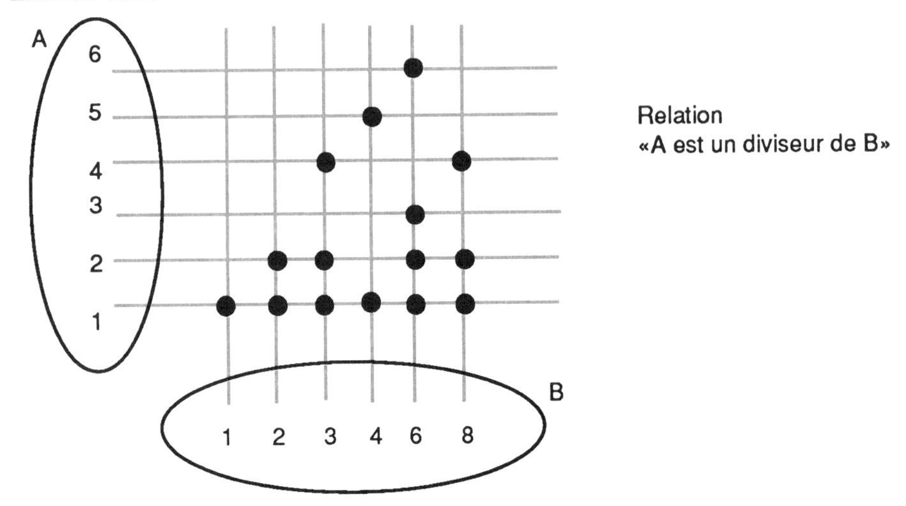

Un **réseau** est dit **connexe** s'il est possible de joindre toute paire de noeuds par une chaîne de branches du réseau.

EXEMPLE :

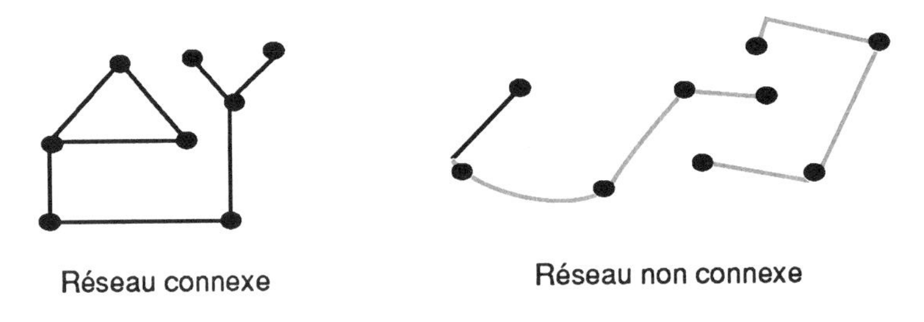

Réseau connexe

Réseau non connexe

Un **réseau** que l'on peut parcourir entièrement en passant une et une seule fois sur chaque branche (on peut passer par le même noeud plus d'une fois) porte le nom de **réseau économique** ou **eulérien**.

EXEMPLE :

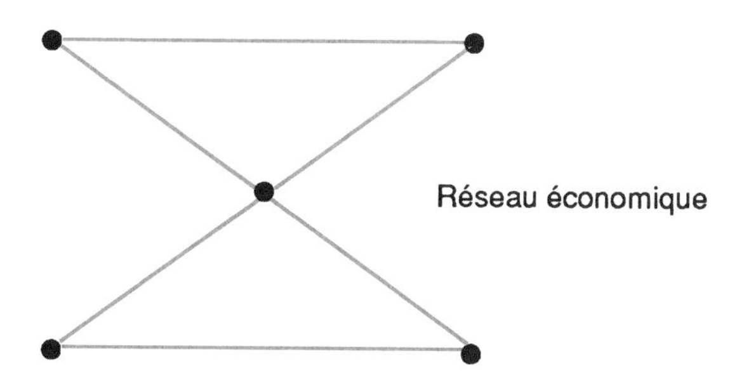

Réseau économique

On qualifie un **réseau** de **fermé** s'il n'y a aucun noeud terminal dans le réseau. Dans ce genre de réseau, tous les **noeuds** sont de degré supérieur à 1 (au moins deux branches sont issues d'un même noeud).

S'il existe au moins un noeud terminal dans le **réseau**, on qualifie celui-ci d'**ouvert**.

EXEMPLE :

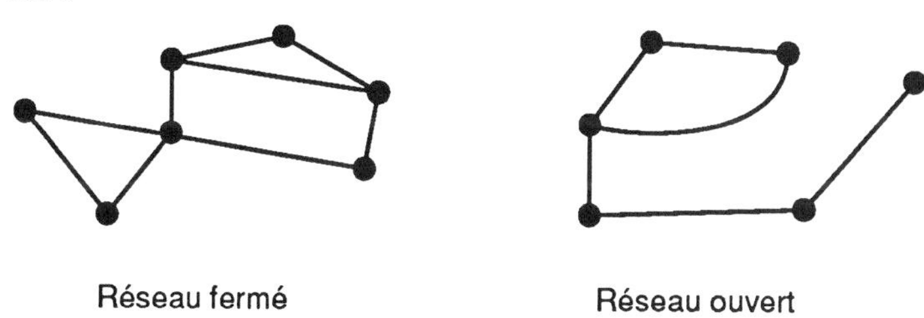

Réseau fermé

Réseau ouvert

On dit d'un **réseau** qu'il est **simple** si chacun de ses noeuds est de degré inférieur à 3 (2 branches au plus sont issues d'un même noeud). Par contre, si au moins un des noeuds du réseau est de degré supérieur ou égal à 3 (au moins 3 branches sont issues du noeud), alors le **réseau** est dit **non simple**.

EXEMPLE :

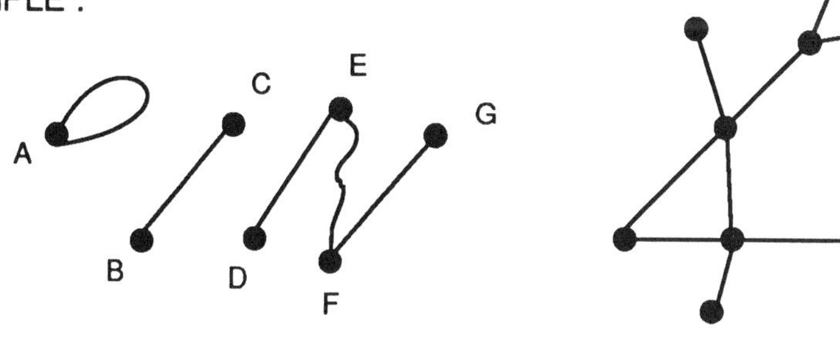

Réseaux simples

Réseau non simple

Finalement, un **réseau** est dit **orienté** si chacune des branches qui le constituent est munie d'une flèche indiquant un sens.

EXEMPLE :

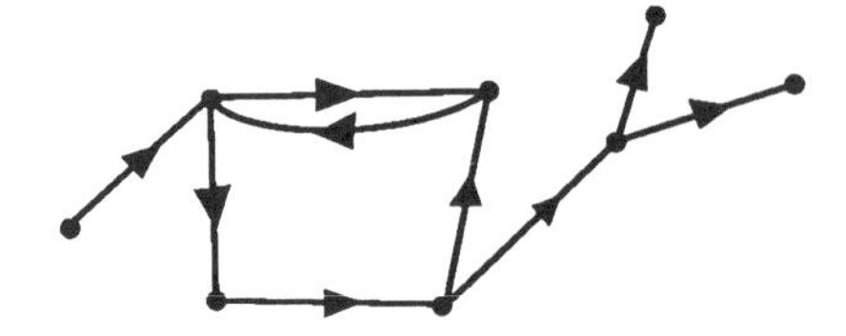

Voir aussi *degré* et *chemin.*

Résoudre v.

Trouver la solution d'un problème en utilisant les outils appropriés.

Reste n. m.

Un **reste** est la quantité qui reste à la suite de la *division* d'un nombre a par un nombre b. Par exemple, le reste de la division de 8 par 3 est 2 parce que :

8	3
-6	2
2	

Voir aussi *modulo.*

Réunion n. f.

La **réunion** de deux ensembles A et B est l'ensemble des éléments qui appartiennent à A ou B, y compris les éléments qui appartiennent à A et à B. On le note $A \cup B$ (se lit « A union B »).

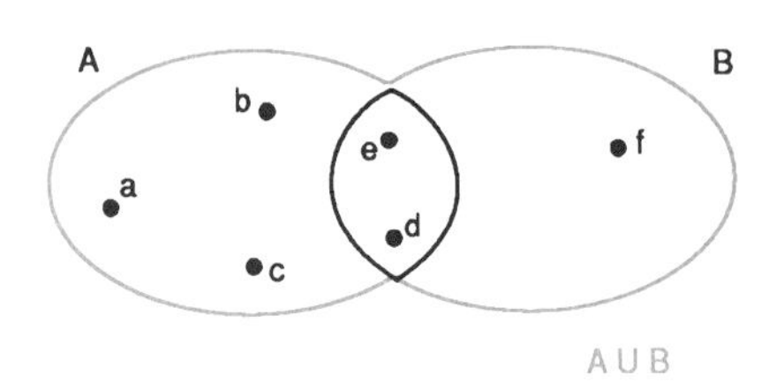

$A = \{a, b, c, d, e\}$
$B = \{e, d, f\}$
$A \cup B = \{a, b, c, d, e, f\}$

Rotation n. f.

Une **rotation** est une *transformation géométrique* dans laquelle chaque point se déplace selon le même angle autour d'un point appelé **centre de la rotation**.

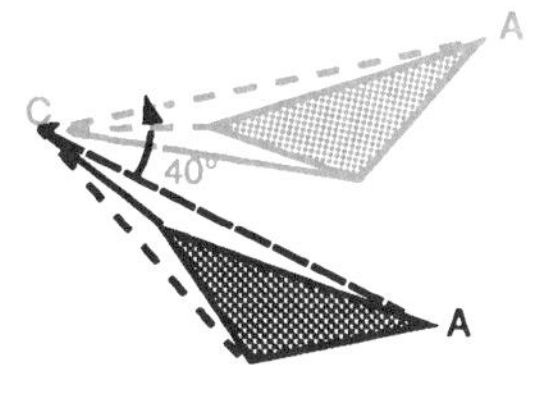

Rotation de 40° autour de **C**

L'angle de rotation est positif s'il est pris dans le sens contraire au parcours des aiguilles d'une montre.

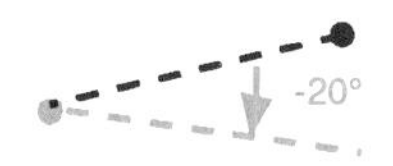

Une rotation est une *isométrie* : elle conserve les distances.

Scalène adj.

Un triangle **scalène** est un triangle qui a ses 3 côtés non congrus.

Voir aussi *triangle*.

Sécant adj.

Des droites **sécantes** sont des droites qui se coupent en un point.

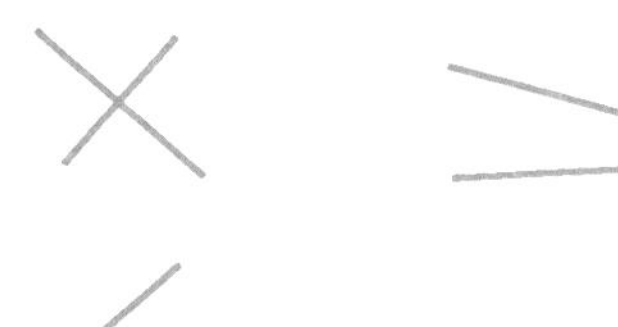

Bien qu'elles se coupent en dehors de la feuille, ces deux droites sont sécantes.

Quand deux droites d'un même plan ne sont pas sécantes, elles sont *parallèles*.

Seconde n. f.

1. La **seconde** est une sous-unité de mesure d'angles. Elle vaut $\frac{1}{60}$ de *minute*. Le symbole « " » signifie seconde.

Voir aussi *degré*.

2. La **seconde** est aussi une sous-unité de mesure de temps. Elle vaut $\frac{1}{60}$ de *minute*. Le symbole s signifie « seconde ».

Voir aussi *temps*.

Secteur angulaire * n. m.

Un **secteur angulaire** est une portion du plan limitée par deux droites sécantes. Un secteur angulaire est dit saillant s'il est limité par un angle dont la mesure est inférieure à 180°; il est dit rentrant s'il est limité par un angle dont la mesure est supérieure à 180°.

EXEMPLES :

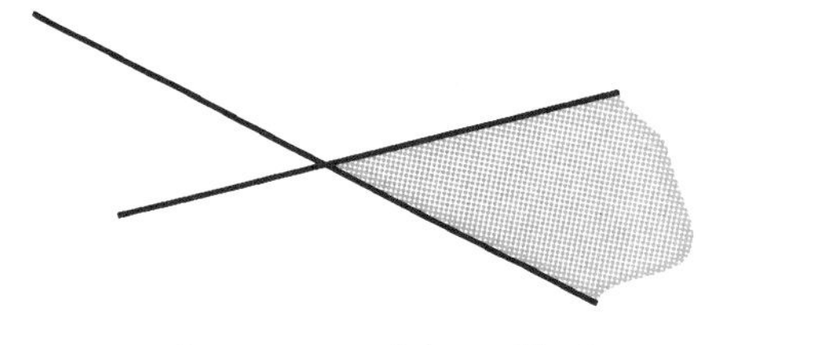
Secteur angulaire saillant

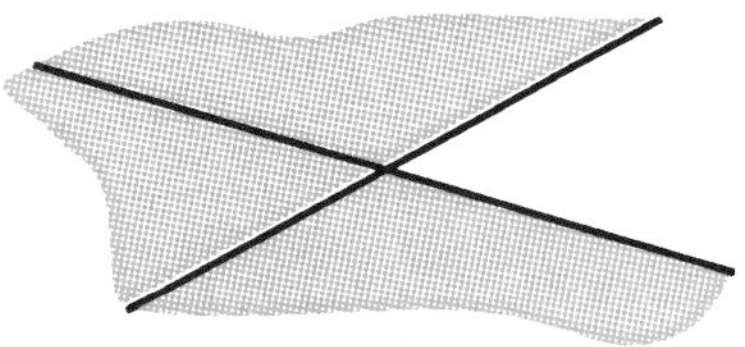
Secteur angulaire rentrant

Secteur circulaire * n. m.

Un **secteur circulaire** est une portion d'un *disque* comprise entre deux *rayons*. On peut calculer l'*aire* d'un secteur circulaire d'angle α (se lit «alpha ») en utilisant la formule $A = \frac{m\angle\alpha}{360°} \times \pi r^2$, où r est le rayon du disque.

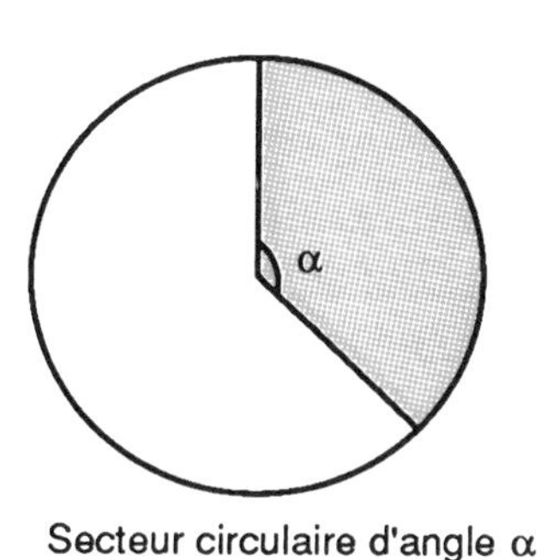

Secteur circulaire d'angle α

Section n. f.

Quand on « coupe » un *prisme* droit perpendiculairement à une *arête* latérale, un *cylindre* droit ou un cône perpendiculairement à leur axe, la surface de coupe est une **section.**

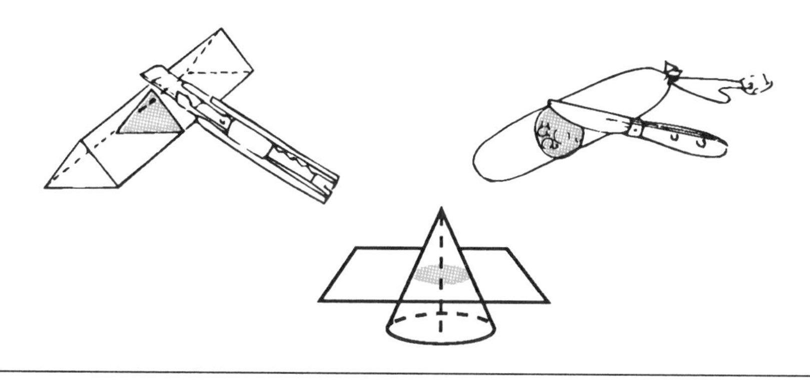

Segment de droite n. m.

Un **segment de droite** est une partie de *droite* limitée aux deux extrémités.

On le note $\overline{AB}$. Un segment est un *intervalle fermé.* On utilise souvent la notion de « longueur d'un segment », et son symbole est m $\overline{AB}$. On dira par exemple m $\overline{AB}$ = 2 cm.

Voir aussi *intervalle.*

Semblable adj.

Deux **figures** sont dites **semblables** si l'une est un agrandissement ou une réduction de l'autre. Les côtés *homologues* de ces figures sont de longueur *proportionnelle*, tandis que les angles qui leur correspondent sont *congrus*.

Voir aussi *homothétie*.

Sens n. m.

Le **sens** est l'orientation d'une droite.

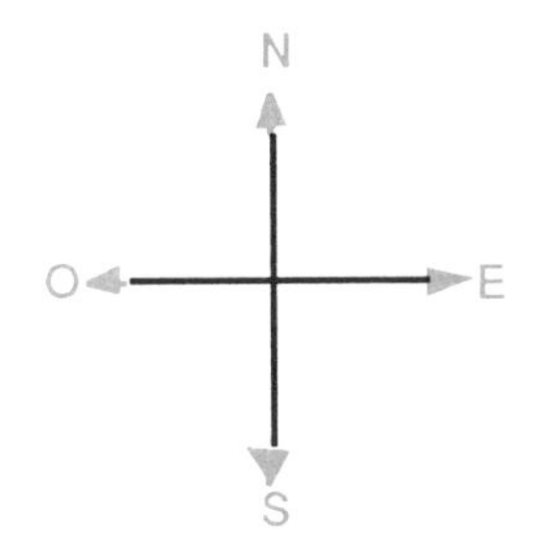

La direction nord-sud a deux sens : le sens nord et le sens sud.

S.I. (Système international d'unités de mesure)

Mesures	Unités	Symboles	Relations
Aire	kilomètre carré hectare mètre carré décimètre carré centimètre carré millimètre carré	km^2 ha m^2 dm^2 cm^2 mm^2	$1\ km^2 = 100\ ha$ $1\ ha = 10\ 000\ m^2$ $1\ m^2 = 100\ dm^2$ $1\ dm^2 = 100\ cm^2$ $1\ cm^2 = 100\ mm^2$ $1\ 000\ 000\ mm^2 = 1 m^2$
Angle	degré minute seconde radian	° ' " rad	$1° = 60'$ $1' = 60''$ $1'' = \frac{1'}{60}$ $360° = 2\pi\ rad$

Mesures	Unités	Symboles	Relations
Longueur	kilomètre	km	1 km = 1 000 m
	hectomètre	hm	1 hm = 100 m
	mètre	m	1 m = 100 cm
	décimètre	dm	1 dm = 10 cm
	centimètre	cm	1 cm = 10 mm
	millimètre	mm	1 000 mm = 1 m
Masse	tonne	t	1 t = 1 000 kg
	kilogramme	kg	1 kg = 1 000 g
	gramme	g	1 g = 1 000 mg
	milligramme	mg	1 000 mg = 1 g
Temps	année	a	1 a = 365 jours
	jour	d	1 d = 24 h
	heure	h	1 h = 60 m
	minute	m	1 m = 60 s
	seconde	s	3 600 s = 1 h
Volume d'un liquide	kilolitre	kl	1 kl = 1 000 l
	litre	l	1 l = 10 dl
	décilitre	dl	1 dc = 10 cl
	centilitre	cl	1 cl = 10 ml
	millilitre	ml	1 000 ml = 1 l
Volume d'un solide	kilomètre cube	km^3	1 km^3 = 1 000 hm^3
	hectomètre cube	hm^3	1 hm^3 = 1 000 000 m^3
	mètre cube	m^3	1 m^3 = 1 000 dm^3
	décimètre cube	dm^3	1 dm^3 = 1 000 cm^3
	centimètre cube	cm^3	1 cm^3 = 1 000 mm^3
	millimètre cube	mm^3	1 000 000 000 mm^3 = 1 m^3

Signe n. m. → *règles des signes* (p. 148).

Simplifier v.

1. **Simplifier** ou **réduire** une *fraction*, c'est trouver une autre *fraction équivalente*, dont les termes sont plus petits.

   EXEMPLE :

   $\frac{20}{24} = \frac{4 \times 5}{4 \times 6} = \frac{5}{6}$ (division des deux termes par 4)

   Par contre, on ne peut pas faire $\frac{20}{24} = \frac{15 + 5}{15 + 9} = \frac{5}{9}$

2. **Simplifier** une *équation*, c'est trouver une autre équation équivalente, mais plus simple à utiliser.

   EXEMPLES :

   $3x + 5 = 9y + 5 \Leftrightarrow 3x = 9y \Leftrightarrow x = 3y$

   $2x(3x + 1) = 2x(9y) \Leftrightarrow 3x + 1 = 9y$ } Seulement si $x \neq 0$

   $\frac{3x + 1}{5} = \frac{9y}{5} \Leftrightarrow 3x + 1 = 9y$

   $x(3x + 1) = x(9y) \Leftrightarrow 3x + 1 = 9y$

Singleton n. m.

Un **singleton** est un ensemble d'un seul élément.

Voir aussi *cardinal*.

Solide n. m.

Un **solide** est une figure à trois *dimensions* de l'espace. On en distingue deux classes : les *corps ronds* (sphère, cylindre, cône) et les *polyèdres* (cube, prisme, pyramide).

Voir aussi *convexe*.

Solution n. f.

La **solution** d'un problème, c'est la démarche qui permet de résoudre ce problème. On emploie parfois le terme solution pour désigner la réponse à un problème.

Somme n. f.

Une **somme** est le résultat d'une addition.

EXEMPLE :
$5 + 3 = 8$
8 est la somme de 5 et de 3.

Sommet n. m.

Le plus souvent, un **sommet** est un point de jonction de côtés (*polygone*, *angle*) ou d'arêtes (*polyèdre*).

Voir aussi *pyramide*.

Sous-ensemble n. m.

Un *ensemble* A est un **sous-ensemble** de B si et seulement si tous les éléments de l'ensemble A appartiennent à l'ensemble B. On utilise le symbole $\subseteq$ ou $\subset$ pour désigner un sous-ensemble.

EXEMPLE :
Soit $A = \{0, 2, 4\}$
et $B = \{0, 2, 4, 6, 8\}$.
Alors, $A \subseteq B$ (se lit « A est un sous-ensemble de B »).

Voir aussi *inclusion*.

Soustraction n. f.

La **soustraction** est une des quatre opérations de base en arithmétique. Elle consiste à enlever à un premier nombre la valeur attribuée à un second nombre. Le résultat d'une soustraction se nomme la **différence**.

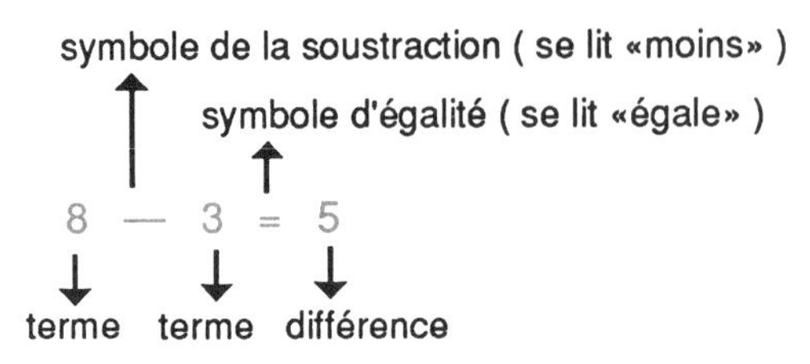

Voir aussi *opération.*

Sphère n. f.

La **sphère** est un *solide* engendré par la rotation d'un cercle autour de son diamètre. La sphère est un *corps rond.*

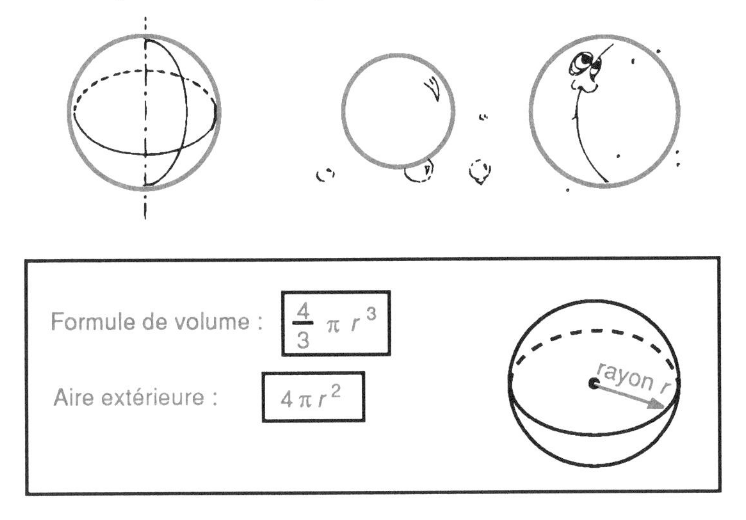

Statistique n. f.

La **statistique** est une science qui analyse des données numériques afin de les ordonner, de les classer ou de les caractériser.

Voir aussi *tableau de données.*

Suite n. f.

Une **suite** est un ensemble de nombres ou d'objets placés dans un certain ordre. Cet ordre dépend d'une loi qu'on appelle **règle de la suite**.

Voir aussi *progression*.

Superficie n. f. → *aire* (p. 6).

Supplémentaire adj.

Deux *angles* sont **supplémentaires** si la somme de leur mesure vaut 180° (un angle plat).

EXEMPLE :

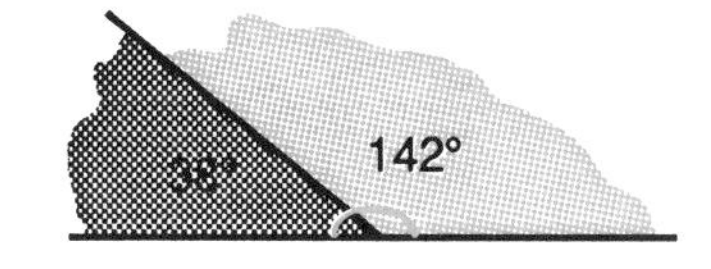

38° + 142° = **180°**

Surface n. f.

Une **surface** est une figure à deux *dimensions*.

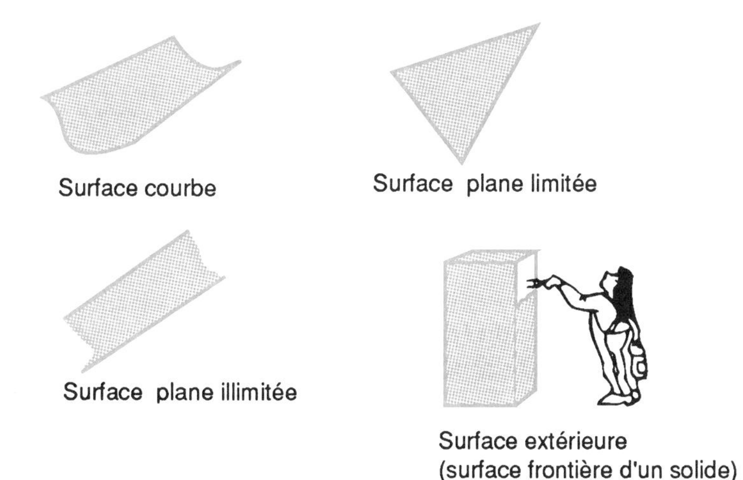

Surface courbe

Surface plane limitée

Surface plane illimitée

Surface extérieure
(surface frontière d'un solide)

Voir aussi *convexe*, *illimité*, *plan*, *polygone*.

Symboles (et abréviations)

1. Nombres et opérations

$a = b$	*a* **est égal** à *b*
$a \cong b$	*a* **est à peu près égal à** *b*
$a \neq b$	*a* **n'est pas égal à** *b* (*a* **est différent de** *b*)
$a > b$	*a* **est strictement supérieur à** *b*
$a \geq b$	*a* **est supérieur ou égal à** *b*
$a < b$	*a* **est strictement inférieur à** *b*
$a \leq b$	*a* **est inférieur ou égal à** *b*
$a + b$	**la somme de** *a* **et de** *b* (*a* plus *b*)
$a - b$	**la différence de** *a* **et de** *b* (*a* moins *b*)
$2 \times a \times b$ $2 \cdot a \cdot b$ $2ab$	**le produit de** 2, **de** *a* **et de** *b* (2 fois *a* fois *b*)
$a \div b$ $\frac{a}{b}$	**le quotient de** *a* **par** *b* (*a* divisé par *b*)
a^b	*a* **exposant** *b* , *a* à **la puissance** *b*
$\mathbb{N}$	**l'ensemble des nombres naturels**
$\mathbb{Z}$	**l'ensemble des nombres entiers**
$\mathbb{Q}$	**l'ensemble des nombres rationnels**
$\mathbb{Q}'$	**l'ensemble des nombres irrationnels**
$\mathbb{R}$	**l'ensemble des nombres réels**
P.G.C.D.	**le plus grand commun diviseur**
P.P.C.M.	**le plus petit commun multiple**
-5	**le nombre négatif moins** 5
$\vert a \vert$	**la valeur absolue du nombre** a
$\sqrt{25}$	**la racine carrée de** 25
70%	70 **pourcent**
70‰	70 **pourmille**
π	**le nombre pi** (= 3,141 59...)
k	désigne souvent **un nombre réel quelconque**
n	désigne souvent **un nombre naturel quelconque**

2. Géométrie

AB	**la droite** AB
$\overline{AB}$	**le segment** AB

$\widehat{AOB}$ $\angle O$ $\angle AOB$	**l'angle** AOB, **dont le sommet est le point** O
A // B	la droite A **est parallèle à** la droite B
A ∦ B	la droite A **n'est pas parallèle à** la droite B
A ⊥ B	la droite A **est perpendiculaire à** la droite B
△ABC	**le triangle** ABC

3. Logique

p	**la proposition logique** symbolisée par la lettre minuscule p
p(*x*)	**la relation propositionnelle** p **qui dépend de la variable** *x*
∀*x*	**pour tout** *x* **, ou tous les** *x*... (quantificateur universel)
∃*x*	**il existe au moins un** *x* **qui**... (quantificateur existentiel)
¬p	**non** p, ou **la négation de** la proposition p

4. Ensembles et relations

{ *a*, *b*, *c* }	l'**ensemble des** éléments *a*, *b* et *c*
a ∈ A	l'élément *a* **appartient à** l'ensemble A
a ∉ A	l'élément *a* **n'appartient pas à** l'ensemble A
#A	**le cardinal de** l'ensemble A
∅ ou { }	**l'ensemble vide**
A ⊂ B	l'ensemble A **est inclus dans** l'ensemble B
A'	**l'ensemble complémentaire** du sous-ensemble A dans l'ensemble E
$\mathcal{P}$(E)	**l'ensemble de toutes les parties de** l'ensemble E
A ∩ B	A **inter** B, ou **l'intersection de l'ensemble** A **et de l'ensemble** B
A ∪ B	A **union** B, ou **l'ensemble réunion de l'ensemble** A **et de l'ensemble** B
A \ B	A **moins** B, ou **l'ensemble différence de l'ensemble** A **et de l'ensemble** B
P_1(E)	**une partition de** l'ensemble E
(*a* , *b*)	**le couple** *a* , *b*
R(A → B)	**la relation** R **de l'ensemble** A **vers l'ensemble** B
R^{-1}	R **moins un**, ou **la relation réciproque de la relation** R
S ∘ R	R **rond** S, S **après** R, ou **la relation composée** de la relation R **et** de la relation S
f (*x*)	**une fonction** *f* (qui dépend) **de** la variable *x*

Symétrie n. f.

Une **symétrie** est une *transformation géométrique*. Il en existe trois types :

1. **Symétrie axiale**
   Une **symétrie axiale** est une transformation géométrique dans laquelle chaque point est appliqué sur un autre point situé de l'autre côté d'un axe A (appelé **axe de symétrie**). Dans une symétrie axiale, l'axe de symétrie A n'est pas perpendiculaire à la direction *d*.

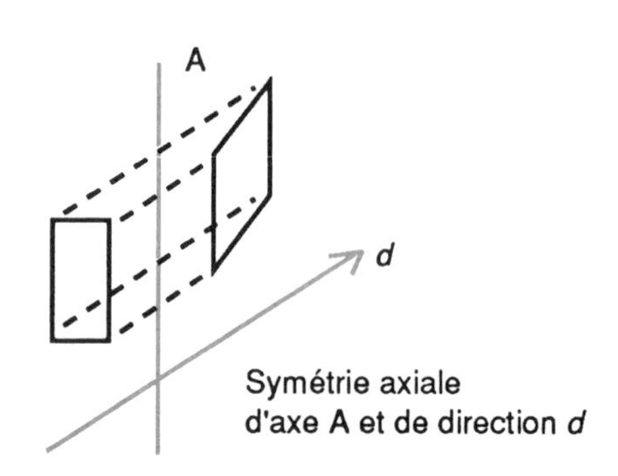

Symétrie axiale
d'axe A et de direction *d*

2. **Symétrie orthogonale**
   Une symétrie orthogonale est une **réflexion**. Elle se définit comme étant une symétrie axiale où l'axe de symétrie A et la direction *d* sont perpendiculaires l'une par rapport à l'autre. L'axe A est également appelé **axe de réflexion**.

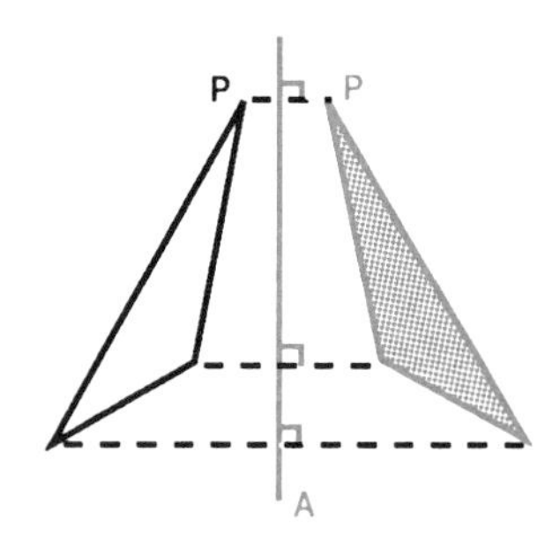

3. **Symétrie centrale**
   Une symétrie centrale est une *rotation* de 180° par rapport à un point. Dans une symétrie centrale, on peut superposer une figure et son image en restant dans le plan.

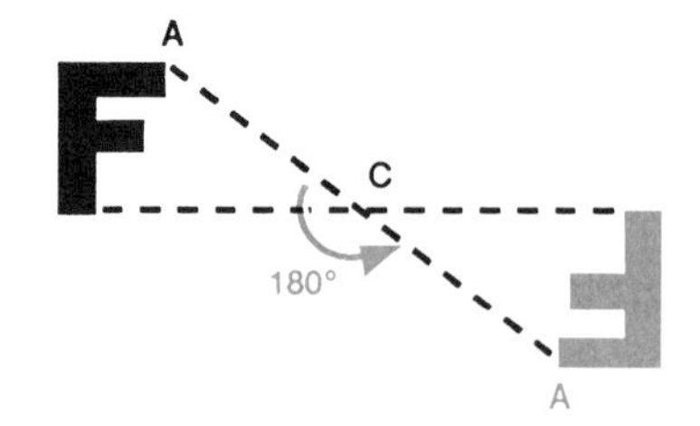

Une figure possède un **centre de symétrie** si, en tournant de 180° autour d'un point, elle se superpose exactement à la figure de départ. Les figures suivantes possèdent un centre de symétrie.

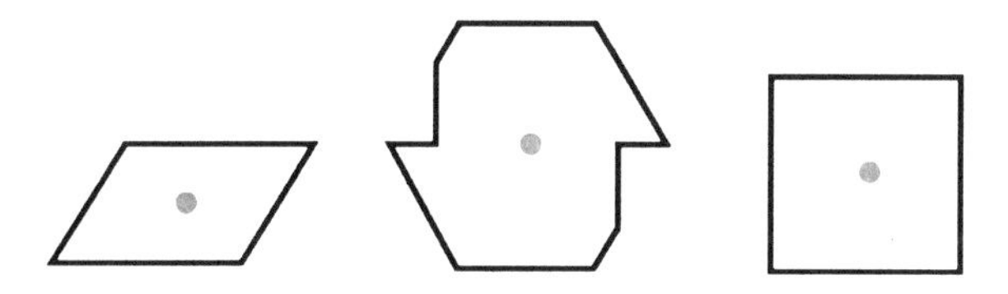

Voir aussi *isométrie* et *transformation géométrique.*

Deux figures forment une **symétrie** s'il est possible de construire une droite entre ces deux figures de telle sorte, que si l'on pliait l'illustration le long de cette droite, les deux figures se superposeraient parfaitement.

Cette droite située à égale distance des deux figures se nomme **axe de symétrie**.

EXEMPLE :

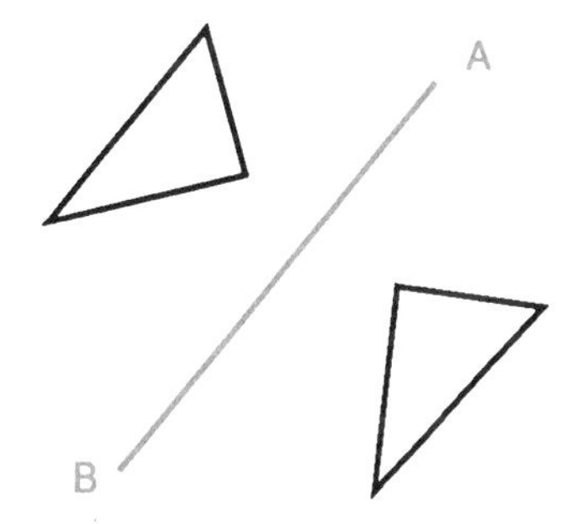

Les deux figures forment une symétrie.

La droite AB est l'**axe de symétrie**.

Une **figure** est **symétrique** s'il est possible de tracer dans cette figure, un axe de symétrie qui permet d'appliquer la figure sur elle-même.

EXEMPLE :

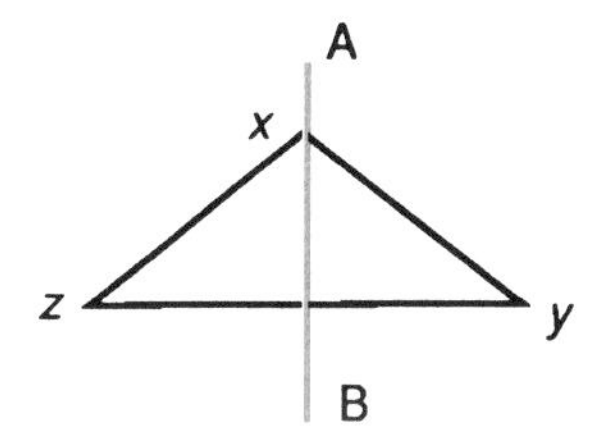

Le triangle *x y z* est une figure symétrique.

La droite AB est l'**axe de symétrie** de cette figure.

Système de coordonnées n. m.

Un **système de coordonnées** est un ensemble de règles et de conventions permettant le repérage d'objets et de points dans un *plan* ou dans l'espace. Les systèmes de coordonnées les plus usuels en mathématiques sont les suivants :

1. Système de coordonnées cartésiennes → *coordonnées cartésiennes* (p. 38) et *plan cartésien* (p. 127).
2. Système de coordonnées polaires → *coordonnées polaires* (p. 38).

Système d'équations * n. m.

Un **système d'équations** est un ensemble de deux ou plusieurs *équations* liant simultanément deux ou plusieurs *variables*. Résoudre un système d'équations c'est trouver la valeur de chacune des variables qui vérifient toutes les équations du système.

EXEMPLE :

$3x + 2 = y$

$x + 6 = y$

Système d'équations à deux variables

$3x + 2 = x + 6$

$3x - x = 6 - 2$

$2x = 4$

$x = 2$

Si $x = 2 \Rightarrow$ $3(2) + 2 = y$

$6 + 2 = y$

$y = 8$

Résolution du système d'équations

Le couple (2, 8) est la solution du système d'équations, parce que en remplaçant x et y par 2 et 8 dans les deux équations du système, on vérifie l'égalité.

Système de numération n. m.

Un **système de numération** est un ensemble de règles et de symboles qui permettent d'écrire tous les nombres.

EXEMPLE :

Système														
Système romain	I	II	III	IV	V	VI	VII	VIII	IX	X	XI	XII	XIII	XIV
Système égyptien	I	II	III	IIII	IIIII	IIIIII	IIIIIII	IIIIIIII	IIIIIIIII	∩	∩I	∩II	∩III	∩IIII
Système binaire	1	10	11	100	101	110	111	1000	1001	1010	1011	1100	1101	1110
Système en base trois	1	2	10	11	12	20	21	22	100	101	102	110	111	112
Notre système en base dix	1	2	3	4	5	6	7	8	9	10	11	12	13	14

On peut écrire XII = ∩ || = $1100_{(\text{deux})}$ = $110_{(\text{trois})}$ = $12_{(\text{dix})}$: c'est le même nombre, 12, écrit de 5 façons différentes.

Les trois derniers systèmes sont des systèmes de numération de position parce que la valeur d'un chiffre dépend de sa place dans le nombre.
Par exemple, dans le nombre 145, le chiffre 1 représente une centaine tandis que dans 415, il représente la dizaine.

Une caractéristique des systèmes de numération de position est la présence du zéro, qui indique l'absence d'unités d'une position.
Par exemple dans le nombre 3 065, le chiffre 0 indique qu'il n'y a pas d'unités à la position des centaines.

Voir aussi *base de numération* et *valeur de position*.

Table d'addition n. f.

Une **table d'addition** est une liste ordonnée d'additions de nombres compris entre 0 et 10. Pour utiliser une table d'addition, il suffit de faire coïncider les deux nombres à additionner avec les nombres correspondants situés dans la première rangée et dans la première colonne de la table d'addition. La somme des deux nombres additionnés se trouve à l'intersection de la rangée et de la colonne des nombres additionnés.

EXEMPLE :

+	0	1	2	3	4	5	6	7	8	9	10
0	0	1	2	3	4	5	6	7	8	9	10
1	1	2	3	4	5	6	7	8	9	10	11
2	2	3	4	5	6	7	8	9	10	11	12
3	3	4	5	6	7	8	9	10	11	12	13
4	4	5	6	7	8	9	10	11	12	13	14
5	5	6	7	8	9	10	11	12	13	14	15
6	6	7	8	9	10	11	12	13	14	15	16
7	7	8	9	10	11	12	13	14	15	16	17
8	8	9	10	11	12	13	14	15	16	17	18
9	9	10	11	12	13	14	15	16	17	18	19
10	10	11	12	13	14	15	16	17	18	19	20

Addition de 7 + 5 = 12.

Voir aussi *addition*.

Table de multiplication n. f.

Une **table de multiplication** est une liste ordonnée de multiplications de nombres compris entre 0 et 10. Pour utiliser une table de multiplication, il suffit de faire coïncider les deux nombres à multiplier avec les nombres correspondants situés dans la première rangée et dans la première colonne de la table de multiplication. Le produit des deux nombres multipliés se trouve à l'intersection de la rangée et de la colonne des nombres multipliés.

EXEMPLE :

x	0	1	2	3	4	5	6	7	8	9	10
0	0	0	0	0	0	0	0	0	0	0	0
1	0	1	2	3	4	5	6	7	8	9	10
2	0	2	4	6	8	10	12	14	16	18	20
3	0	3	6	9	12	15	18	21	24	27	30
4	0	4	8	12	16	20	24	28	32	36	40
5	0	5	10	15	20	25	30	35	40	45	50
6	0	6	12	18	24	30	36	42	48	54	60
7	0	7	14	21	28	35	42	48	56	63	70
8	0	8	16	24	32	40	48	56	64	72	80
9	0	9	18	27	36	45	54	63	72	81	90
10	0	10	20	30	40	50	60	70	80	90	100

Multiplication de 9 x 7 = 63.

Voir aussi *multiplication*.

Tableau de données n. m.

Un **tableau de données** est une liste de faits ou de résultats recueillis lors d'une expérience ou d'un sondage. À partir d'un tableau de données, on peut construire des *diagrammes à bandes*, des *histogrammes*, des *diagrammes circulaires*, etc.

Tangente n. f.

Une **tangente** est une droite ou un segment de droite qui touche une courbe en un seul point.

EXEMPLE :

La droite T est tangente au cercle de centre O.

Taux n. m. → *intérêt* (p. 91).

Température n. f. → *degré* (p. 44).

Temps n. m.

Les principales unités de mesure du **temps (de la durée**) sont :

. la seconde (s);
. la minute (min) : 1 min = 60 s;
. l'heure (h) : 1 h = 60 min;
. le jour (d) : 1 d = 24 h;
. le mois;
. l'année : 1 an = 12 mois;
. le siècle : 1 siècle = 100 ans;
. le millénaire : 1 millénaire = 1 000 ans.

Terme n. m.

1. Un **terme** est un nombre ou une lettre entrant dans une opération.

Voir aussi *opération*.

2. Chacun des éléments qui composent une *progression arithmétique* ou une *progression géométrique* se nomme **terme**.

Tétraèdre n. m.

Polyèdre à 4 faces. → *polyèdre* (p. 128).

Théorème * n. m.

Un **théorème** est une propriété que l'on peut démontrer.

EXEMPLE :

« Le segment de droite qui joint les milieux de deux côtés d'un triangle est parallèle au troisième côté. »
On oppose le théorème à l'*axiome*, ou au *postulat*, qui sont des propriétés supposées admises au départ.

Tonne n. f.

1 t = 1 000 kg → *masse* (p. 99).

Transformation géométrique n. f.

Une **transformation géométrique** est une application qui, selon des règles bien précises, fait correspondre chaque point du plan à un et un seul point (le même ou un autre) appelé image.

Voir aussi *homothétie, isométrie, projection, réflexion, rotation, symétrie, translation*, qui sont des transformations particulières du plan.

Transformation identique n. f. → *isométrie* (p. 94).

Translation n. f.

Une **translation** est une *transformation géométrique* dans laquelle chaque point se déplace de la même distance, dans la même direction et dans le même sens.

Une translation est illustrée par une flèche de translation, qui donne la direction, le sens et la grandeur du déplacement.

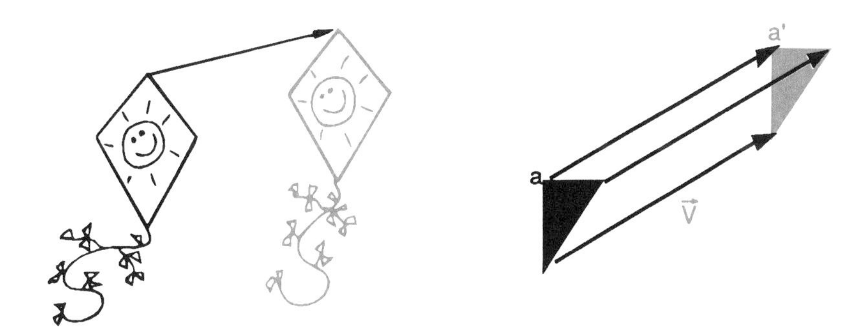

Voir aussi *isométrie.*

Trapèze n. m.

Un **trapèze** est un *quadrilatère* qui a au moins deux côtés parallèles.

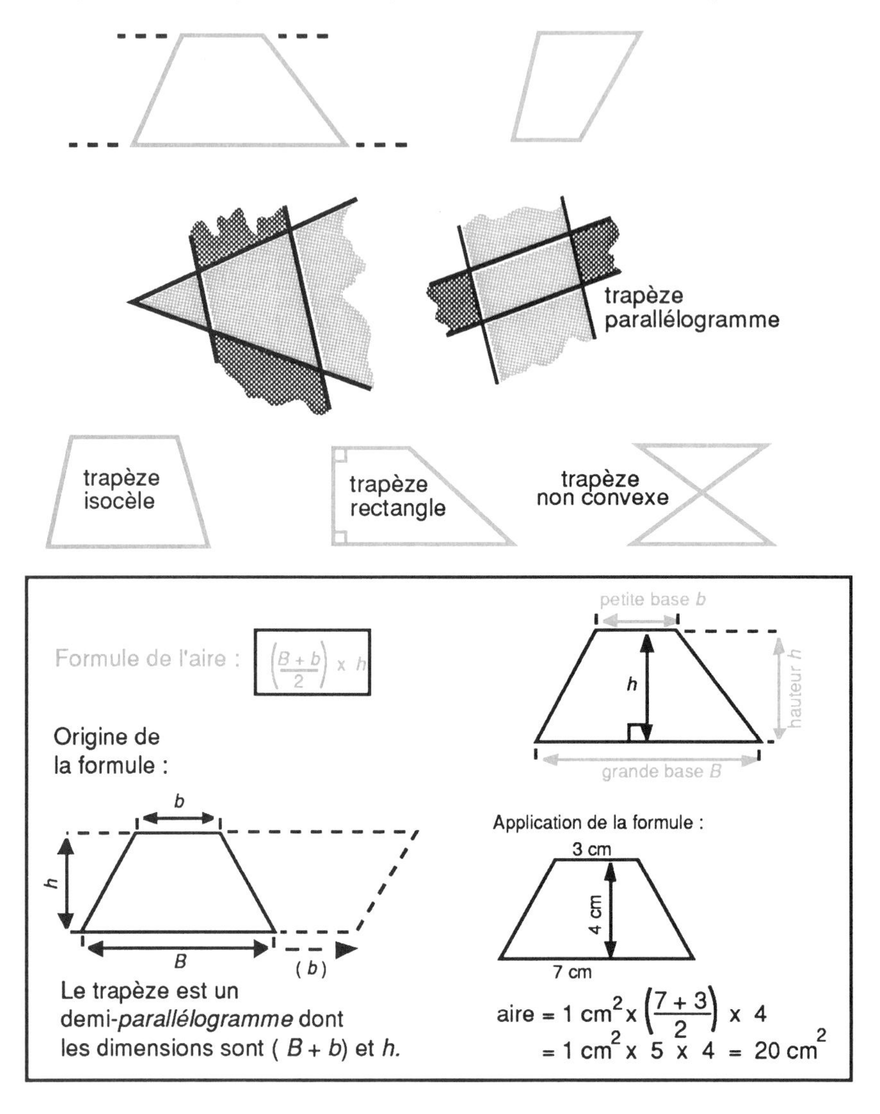

Treillis n. m.

Un **treillis** est un *réseau* régulier de lignes qui s'entrecroisent. Les objets y sont représentés par les *noeuds* du réseau. Un treillis peut avoir 1, 2, 3, ..., *n* dimensions. En mathématique, les treillis les plus utilisés sont les *diagrammes cartésiens*.

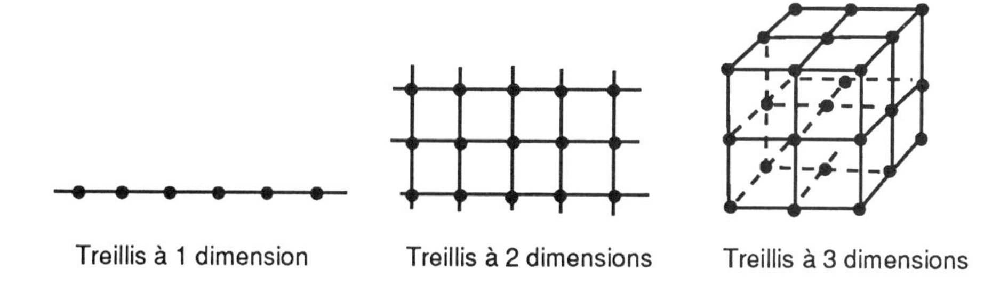

Treillis à 1 dimension — Treillis à 2 dimensions — Treillis à 3 dimensions

---

Triangle n. m.

Un **triangle** est un polygone à 3 côtés.

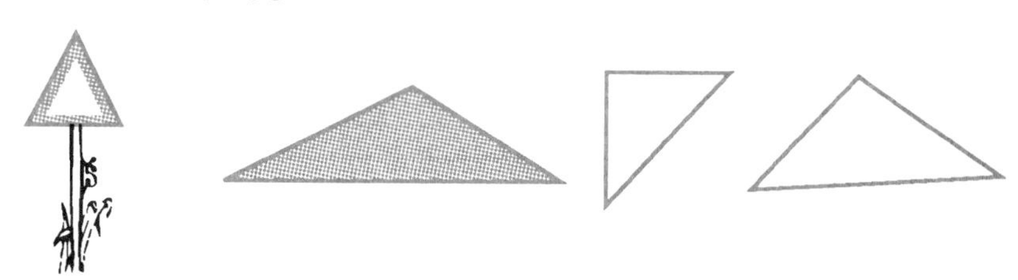

On peut classer les triangles de deux manières :

1. Selon les angles :
   - un *triangle acutangle* a ses trois angles aigus;
   - un *triangle rectangle* a un angle droit;
   - un *triangle obtusangle* a un angle obtus.
2. Selon les côtés :
   - un *triangle scalène* a tous ses côtés de longueurs inégales;
   - un *triangle isocèle* a au moins deux côtés de même longueur;
   - un *triangle équilatéral* a ses 3 côtés de même longueur (un triangle équilatéral est donc un triangle isocèle).

Triangle	Acutangle	Rectangle	Obtusangle
Scalène			
Isocèle			
Équilatéral			

La somme des angles intérieurs d'un triangle est égale à 180° (voir angle).

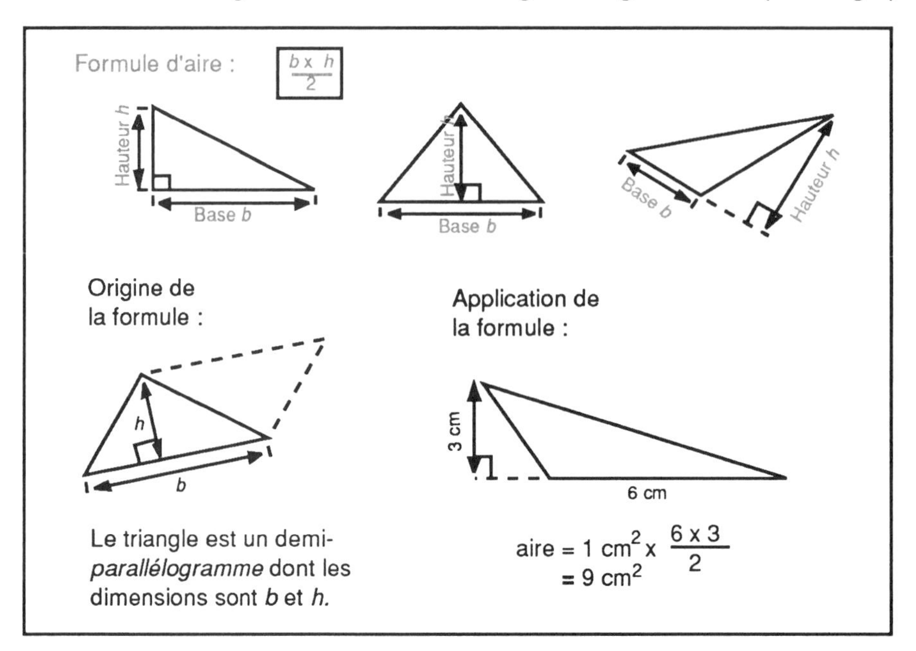

Voir aussi *angle* et *hypoténuse*.

Trinôme * n. m.

Un **trinôme** est un polynôme composé de 3 termes. Les expressions algébriques suivantes sont des trinômes :

$3ax^2 + bx + 4$

$0{,}5x^2 + 3{,}7x - 0{,}5$

$$\frac{5a^3b^2c}{4a} - \frac{2a^2b^2c}{a} - \frac{3ab}{2c}$$

Voir aussi *polynôme.*

Union n. f. → *réunion* (p. 154).

Unité n. f.

1. L'**unité**, c'est l'élément entier auquel on se réfère.

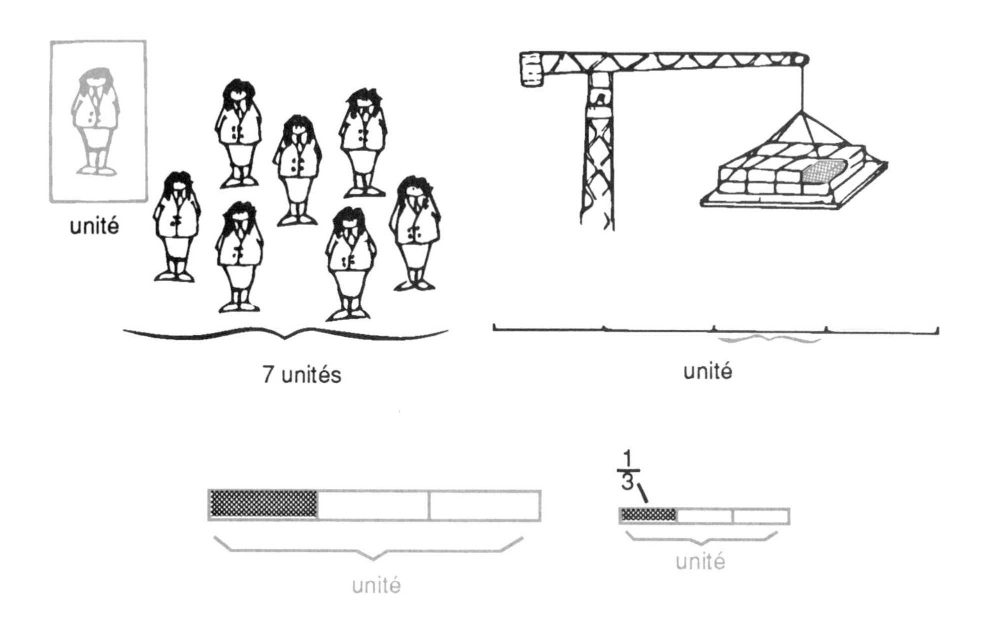

Une **unité** de mesure est une grandeur de référence qui permet la mesure.

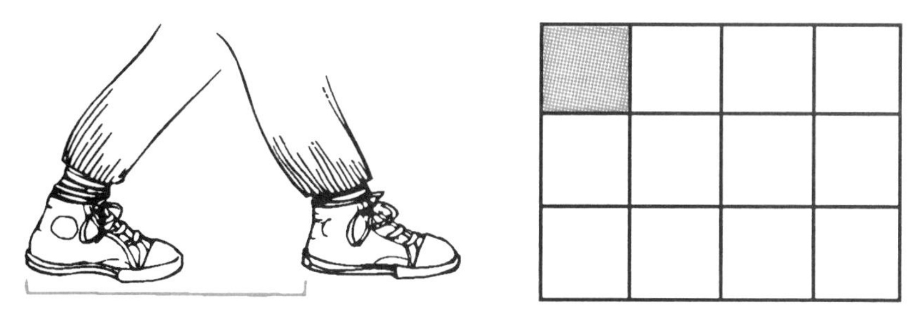

Unité naturelle de mesure (de longueur)

Unité conventionnelle de mesure (d'aire)

La tonne, le kilogramme et le gramme sont des unités (conventionnelles) de mesure de masse.

Certaines unités de mesure ont été choisies comme références internationales :

. l'unité de longueur : le mètre;
. l'unité de masse : le kilogramme;
. l'unité de temps : la seconde.

Ces unités constituent le système MKS.

Voir aussi *longueur, aire, volume, capacité, masse, temps, S.I.*

2. Une **unité** est la première position à gauche de la virgule de cadrage dans un nombre décimal. Elle représente aussi des parties semblables qui composent un nombre. Dans le nombre 735, le chiffre 5 occupe la position des unités. De plus, le nombre 735 est composé de 735 unités.

Voir aussi *virgule de cadrage.*

Valeur absolue n. f.

La **valeur absolue** d'un nombre *a*, c'est sa valeur positive indépendamment de son signe. On l'écrit $|a|$.

EXEMPLES :
La valeur absolue de 5 est 5.
La valeur absolue de -6 est 6.

Valeur de position n. f.

La **valeur de position** est la valeur d'un chiffre dans un nombre selon la position qu'il occupe dans ce nombre. Par exemple, dans le nombre 853,7, le chiffre 8 vaut 800, car il occupe la position des centaines; le chiffre 5 vaut 50, car il occupe la position des dizaines; le chiffre 3 vaut 3, parce qu'il occupe la position des unités; le chiffre 7 vaut $\frac{7}{10}$, car il occupe la position des dixièmes.

Variable n. f.

Des **variables** sont des symboles, en général des lettres, qui peuvent prendre différentes valeurs.

EXEMPLE :
Le nombre d'habitants n de la planète varie avec le temps t : on dit que la variable n varie en fonction de la variable t.

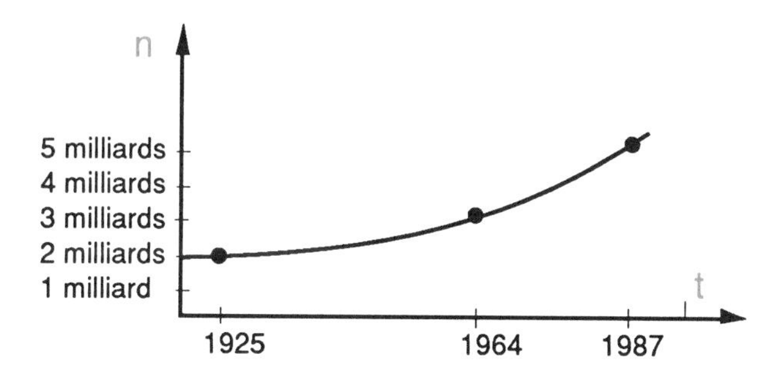

Dans l'équation $y = 5x + 3$, y et x sont des variables, alors que 5 et 3 sont des constantes.

Voir aussi *constante*.

Vérifier v.

Vérifier la solution d'un problème consiste à s'assurer de la justesse et de l'exactitude de cette solution.

Vide adj. → *ensemble vide* (p. 65)

L'ensemble **vide** est l'ensemble qui ne comprend aucun élément.

Voir aussi *cardinal* et *diagramme de Venn*.

Vingt adj. numér. → *règles d'orthographe* (p. 165).

Virgule de cadrage n. f.

Une **virgule de cadrage** est une virgule qui sert à séparer la partie entière de la partie fractionnaire d'un nombre décimal.

EXEMPLE :

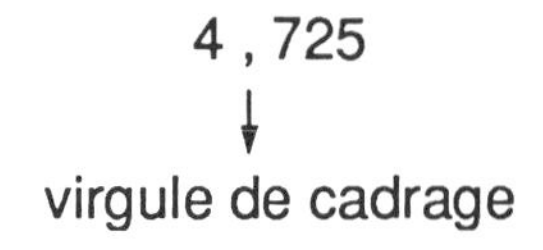

Volume n. m.

Le **volume** d'un objet, c'est la place que cet objet occupe dans l'espace. Par exemple, une orange a un volume plus grand qu'une fourchette.

On peut :

1. Comparer le volume de deux objets différents. Par exemple, on les plonge chacun dans un récipient rempli d'eau à ras bord, et on compare les quantités d'eau que chaque objet fait déborder.

2. Mesurer le volume d'un objet, en essayant par exemple de reconstruire avec des cubes un objet de mêmes dimensions.

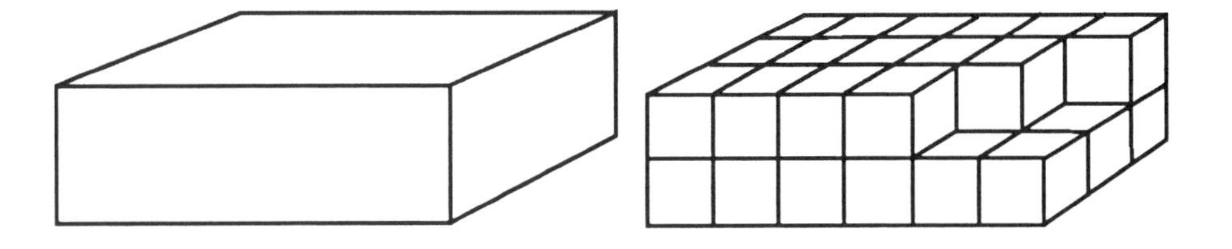

Volume de la brique = 1 cube x 6 x 3 x 2 = 36 cubes.

3. Mesurer le volume d'un solide à l'aide d'unités conventionnelles :

. le centimètre cube (cm^3);

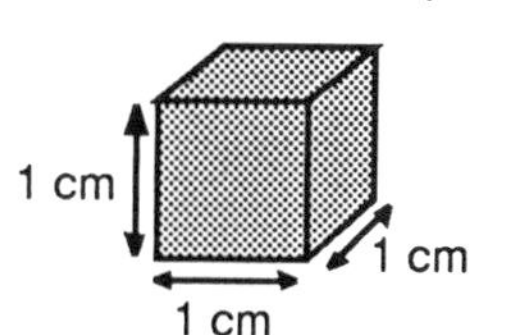

. le décimètre cube (dm^3), soit le volume d'un cube de 1 dm (10 cm) ou encore d'une boîte de lait ou de jus d'orange (1 litre);

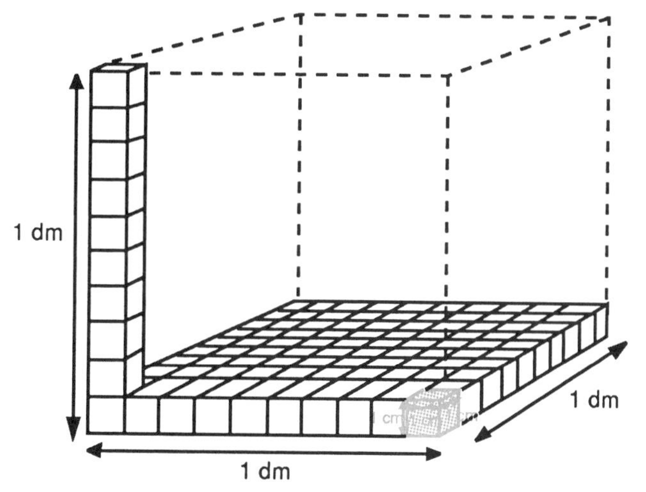

. le mètre cube (m^3) 1 m^3 = 1 000 dm^3.

Chaque unité de volume est 1 000 fois plus petite que la suivante :

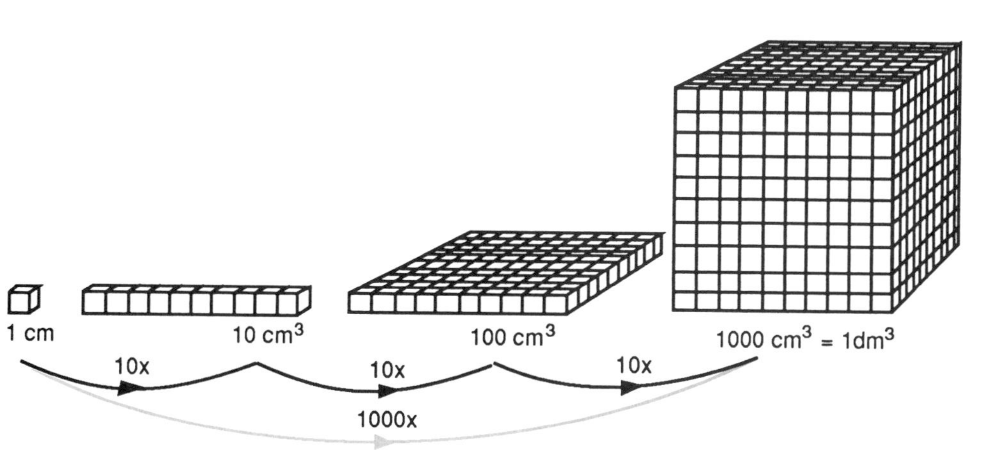

Un récipient qui a une capacité de 1 l a un volume intérieur de 1 dm^3. Un litre correspond toujours à 1 dm^3, mais attention : un volume de 1 dm^3 de matière ne pèse 1 kg que si c'est de l'eau pure!

4. Calculer le volume de certains solides en utilisant les formules de volume.

EXEMPLE :

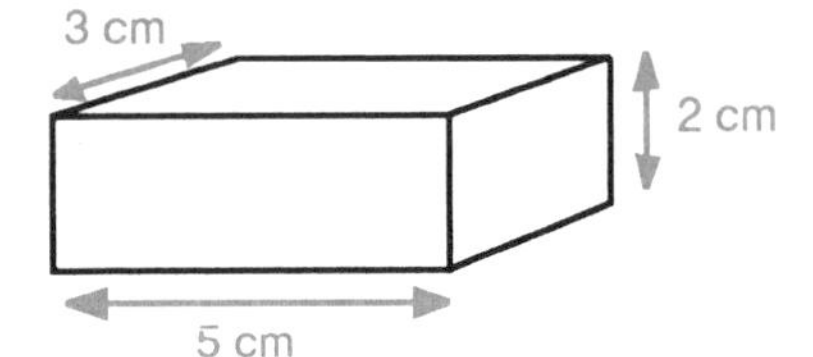

Volume du parallélépipède rectangle
$= (L \times l \times h)$
$= 1\ cm^3 \times 5 \times 3 \times 2 = 30\ cm^3$

Volume de quelques solides

1. Cube
V = $(\text{arête})^3$

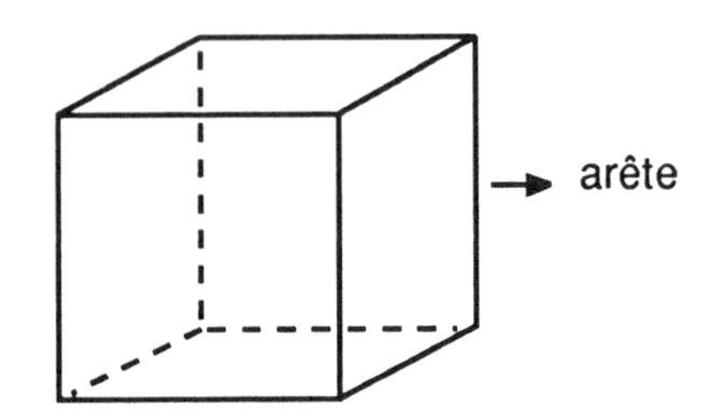

2. Prisme droit à base rectangulaire
V = Longueur x largeur x hauteur

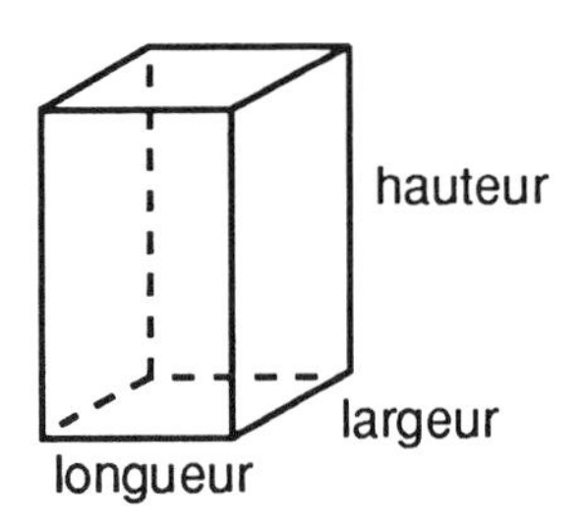

3. Cylindre et prisme
V = Aire de la base x hauteur

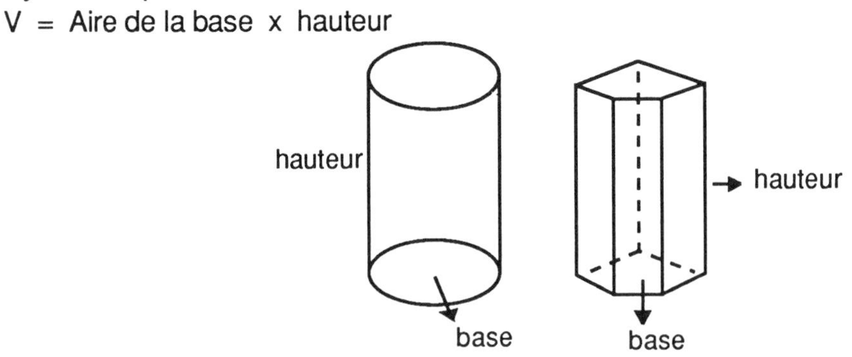

4. Cône et pyramide

$$V = \frac{1}{3} \times \text{aire de la base} \times \text{hauteur}$$

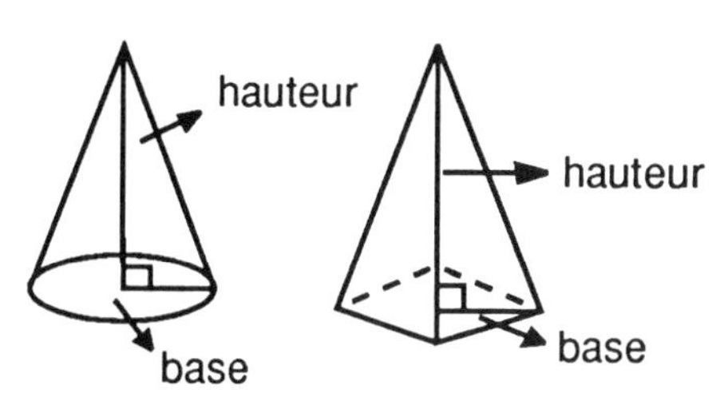

5. Sphère

$$V = \frac{4}{3} \times \pi \times (\text{rayon})^3$$

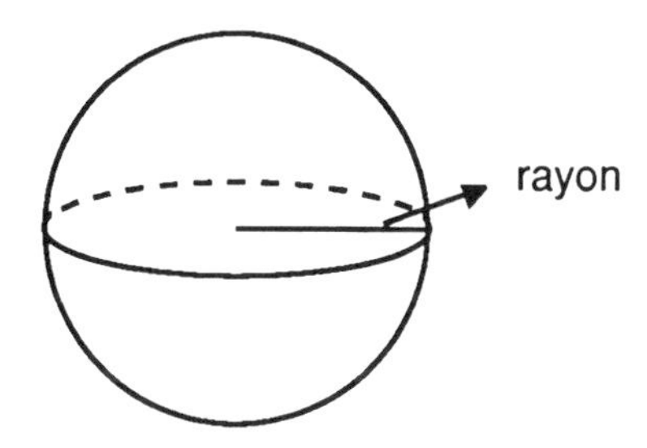

Attention! Il faut que toutes les mesures d'un solide soient exprimées dans la même unité.
Souvent, on écrit l'unité de volume devant le calcul, pour les mêmes raisons que celles qui ont été évoquées lors de l'approche des formules d'aire (voir *aire*).

Ensemble des nombres entiers. → *nombre entier* (p. 110).

Zéro n. m.

Zéro est à la fois un chiffre et un nombre.

1. Le chiffre zéro indique l'absence d'unités à une position.

   EXEMPLE :

   Le nombre 7 026 indique que s'il y a des unités de mille, des dizaines et des unités, il y a par contre absence de centaines.
   Le zéro est indispensable : 7 026 est un nombre autre que 726.

2. Le nombre zéro est le nombre situé à la frontière des nombres positifs et négatifs.

Dans les opérations, le zéro a les propriétés suivantes :

. Addition : le zéro ne modifie pas le résultat (élément neutre).
  $18 + 0 = 18$

. Soustraction : $5 - 0 = 5$, mais $0 - 5 = -5$.

. Multiplication par zéro : le résultat est toujours zéro (on dit que zéro est absorbant dans la multiplication).
  $135 \times 0 = 0$
  $0 \times 28 = 0$

. Une division par zéro n'est pas possible: on ne peut pas calculer le résultat de $8 \div 0$ (en tout cas, $8 \div 0 \neq 8$).
  Par contre, $0 \div 8 = 0$.

De plus, zéro est multiple de tout nombre et n'est diviseur d'aucun nombre.

Index alphabétique

D

E

F

G

H

I

K

L

M

N

O

P

Q

R

S

T

U

V

Z